JN082861

朝鮮通信使の道

——日韓つなぐ誠信の足跡

嶋村初吉

東方出版

はじめに

滝廉太郎の『荒城の月』で知られる竹田（大分県）の岡城跡に数年前登った時、熊沢蕃山を称える大きな頌徳碑に出合った。大胆な藩政改革で実績を残した岡山藩を追われた蕃山は、それに沈まず、豊後の岡藩で再び名をあげた。藩主に請われて、藩が直面する難題に取り組み、期待に応える。藩校でも教えた。不屈の人・蕃山の歌に、こうある。

　うきことの猶この上に積もれかし　限りある身の力ためさん

蕃山は江戸前期、知行合一の陽明学者である。有言実行。権威に胡坐をかく人ではない。これが、心に響いてくる。

頌徳碑の前に立って、蕃山から教わるのは、地域・人と関わる、「繋がる」ことである。たった4カ月しか竹田にいなかった蕃山が岡藩に大きな足跡を残せたのは、なぜか。それは藩の将来を気遣い、当事者意識をもって深く係わったことにある。それが、藩内に大きな力を生み、藩内改革を促した。

歴史と向き合う行為は、自分の生きている現代社会を照らしてくれる、歴史的教訓を学ぶことに繋がる。それも知識にとどまらず、実践にまで高めていこうという姿勢が大切である。

「日韓の懸け橋」朝鮮通信使。２０１７年10月末、ユネスコ「世界の記憶」（記憶遺産）登録で、日韓友好の輪が広がった。従来の官主導を排して、日韓の民間団体が主体となって登録申請したことも話題になった。

ソウルから東京まで約２０００㎞の間、各地に通信使とそれを迎接した日本人の交流の史料が残されていたことは意義深い。善隣友好の輪が、いかに広域に及んだか。「登録決定」の吉報を喜んだ地域が多数にのぼることからもわかる。

そこから、どう踏み出していくか。

日韓関係が険悪となった２０１９年8月、対馬で中止と思われた通信使行列が再現された。翌日、新聞を開くと「日韓今こそ民間交流」「友情伝える朝鮮通信使」といった見出しで、大きく扱われていた。政治の衝突で、悪化する日韓関係は、民間交流にも影響を及ぼしている折、美談として報じられていた。

当時、日本との交流事業を全面中止する態度を明らかにした、釜山市長と面会した元釜山文化財団代表理事の姜南周（カンナムジュ）氏（元釜慶（プギョン）大総長）らが、直談判して対馬派遣を承諾してもらったという。長年、朝鮮通信使を通じた日韓交流を牽引し、釜山の朝鮮通信使祭りを発案した姜南周氏の情熱には、釜山市長も一目をおかざるを得なかったのではないか。

日韓関係は政治に左右され、度々大きく揺れた。その間も、通信使を通じた民間交流は途切れることがなかった。そのため、通信使は「日韓の懸け橋」として注目もされた。釜山に朝鮮通信使学会が結成されるなど、研究のすそ野は広がっている。

日韓を繋ぐ朝鮮通信使の役割を実感したのは、２０１９年の第7次「21世紀の朝鮮通信使ＳＯＵＬ－東京　日韓友情ウォーク」に参加したときだった。2年に1度、ソウルから東京まで（釜山から大阪までは船とバスで移動）１１２９㎞を踏破する53日間のウオーキングである。途中参加で、慶州（キョンジュ）から東萊（トンネ）まで約１２０㎞歩いたが、ゆかりのまちでは大歓迎された。日韓友好「21世紀の朝鮮通信使」の幟を掲げて歩く彼らの姿が、まさに通信使の姿と重なる。韓国の宣相圭（ソンサンキュ）、日本の遠藤靖夫両代表が率いる一行が輝いてみえた。

日本と韓国の通信使ゆかりの町を訪ねると、世界遺産に登録された史料とともに、通信使が賛嘆した古い街並みが残っているのに感動する。通信使が「日東第一形勝」と称えた鞆（とも）の浦（広島県福山市）にある福禅寺対潮楼からの絶景は、いまも健在である。韓国の通信使が往来した沿道にも、金仁謙（キムインギョム）の『日東壮遊歌（イルトンジャンユガ）』をもとに歩くと、日本同様に昔の風情が残っている。通信使の道を歩く楽しさはここにある。
「繋ぐ」精神。これこそが通信使の精神ではないかと思う。ユネスコ「世界の記憶」に登録された後、何をなすべきか。ゆかりのまちに問われるのは、この精神を発信する役割といえよう。

国境の島・対馬で１９９５年に結成された、朝鮮通信使縁地連絡協議会（以下、縁地連）。これに参加して以来、新聞記者として筆者は、毎年ゆかりのまちで開かれる交流大会に欠かさず顔を出した。通信使の歴史を掘り起こし、地域活性化に尽くされた辛基秀（シンギス）先生（大阪市在住）と再会し、各地の取り組みを聞き、驚いた。１９９０年、来日した韓国の盧泰愚（ノテウ）大統領が、宮中晩さん会答礼で、雨森芳洲（あめのもりほうしゅう）を称える演説をしたのが、縁地連結成の追い風となった。芳洲の生誕地・高月町（現滋賀県長浜市）、対朝鮮外交で芳洲が重責を担った対馬はとりわけ、これを好機ととらえ、通信使ゆかりの地をつなぐネットワーク構築に力を入れた。その結実が、縁地連の誕生であった。
「繋ぐ」精神は、縁地連理事長の松原一征氏の活動を知るにつれ、通信使の精神だと考えるようになった。江戸時代、対馬藩の外交官・雨森芳洲は、そのためには「誠信交隣」が大切だと説き、藩主に外交の心構えとして進言している。

　互いに欺（あざむ）かず争わず真実を以て交わり候を誠信とは申し候

この芳洲の「誠信交隣」、誠信の交わりは、共鳴の輪を広げている。

着任して間もない、李熙燮（イヒソプ）駐福岡大韓民国総領事は２０２０年12月、「九州の中の韓国探し」で壱岐を訪れ、通信使の史跡見学を福岡市民と一緒に巡った。李熙燮総領事は16日付の西日本新聞（朝刊）「ひと」欄に紹介されたが、その中で次のよう言っている。

　旅を通じて心に刻んだのは、当時の対馬藩で朝鮮国との外交・貿易に尽力した雨森芳洲が説いた『誠信交隣』

の外交理念。「交流精神で偏見と誤解を解き、政治に左右されない交流を通じて成熟した市民意識をつくり出す。この心こそ、今の韓日関係にも重要だ」。総領事としての職責の重さを実感した。

政治でもつれた関係をときほぐしていくには、何が必要か。ソウルから東京、日光まで、２０００㎞超の間にある通信使ゆかりのまちを、時間を見つけては訪ね歩いた心中には、その問い掛けもあった。

通信使の往来した道は長いし、ゆかりのまちは広域にわたる。当然ながら、日韓にまたがっている。そのまちと人がつながることで、日韓友好の輪は益々広がり、強固になるのでないか。そんな思いを込めて、執筆した。「繋ぐ」が、全編を流れる基調音である。

朝鮮通信使の道——日韓つなぐ誠信の足跡　目次

第七章　傑出した徳川将軍とは 179

朝鮮通信使のルート
漢城
（ソウル）
聞慶
安東
大邱
慶州
密陽
東莱
釜山
対馬
壱岐
藍島
赤間関
（下関）
上関
下蒲刈
鞆の浦
牛窓
室津
兵庫
大坂
京都
高月
彦根
大垣
名古屋
駿府
箱根
小田原
富士山
江戸
日光

序論　朝鮮通信使とは

対馬・厳原（いずはら）の町中に、宗義智（そうよしとし）の銅像が立つ。彼は悲劇の藩主である。秀吉の朝鮮侵略で、開戦の口火を切り、半島を揺るがした。秀吉が死に、天下を統一した家康が将軍になると、断絶した国交の回復、朝鮮通信使の派遣を命じられた。日朝の懸け橋となった、国境の島の藩主として、両国の平和と友好を担った。

宗家の菩提寺は萬松院（ばんしょういん）。見事な石段、百雁木を上ると歴代藩主の墓が並び立つ。その墓の中で、一番質素なのが義智の墓。他の藩主のような高い石組みの囲いはなく、石積みの基壇の中に、小さな墓標が立つにすぎない。なぜ、こうも粗末なのか。そこには自身の自己評価が働いているからか？　それとも、お家のため「華美、贅沢に走るな」「質素倹約であれ」といった、後継への戒めなのか。

朝鮮にも同じような運命を持つ人がいる。第14代王・宣祖（ソンジョ）である。思いも寄らぬ秀吉軍の侵攻に国を蹂躙され、自らは秀吉軍の接近を前に、都を捨てて中国国境へと逃れた。明の援軍の力で、都へ戻るが、民衆の心は離れており、悲哀を味わう。そこに、手の平を返したような家康の友好を求める提案（国交修復、朝鮮通信使派遣）である。苦慮したことと思う。

一、家康が修復した日朝関係

戦争から一転、平和を求める、節度を弁（わきま）えぬ日本。許すことが出来ない蕃国。徳川家康の真意はどこにあるか。そこで探賊使として、外交僧の松雲大師（ソンウンテサ）（四溟堂惟政（サミョンダンユジョン））が派遣され、対馬藩の案内で京都まで出向き、家康・秀忠親子に会っている。その内容を持ちかえった松雲大師の報告で日朝の修復がなされた。「朝鮮に兵を送り、戦ったこともない」といった家康の言葉、修好を求める彼の意欲にも好感できたのであろうか。これに応えて宣祖はゴーサインを出す。

それにしても、秀吉の朝鮮侵略から10年も経たないうちに、なぜ家康の要請に応じたのか。実はその背景に、北方の脅威があった。ヌルハチの女真族である。度々、国境を侵犯しており、その防備で兵力を割かなければならなかった。そのため、南方を平穏に保つしかなかった。通信使派遣は宣祖にとって苦渋の決断であったし、屈辱であったはずである。

家康の要請を受諾する前提条件として、2点を要求した。それは先に徳川将軍が国書を朝鮮国王に差し出すことと、王陵を盗掘した秀吉軍のなかの「侵陵賊」を突き出すことであった。

これに対応した対馬は家康の指示を仰ぐことなく、王陵を荒らした犯人をつくり上げ、国書を偽造（一部に改ざんという説も）して朝鮮王朝に差し出した。このような対馬藩の暴走行為は、室町時代から、すでに行われており、対馬藩にとっては難しい技ではなかった。幕府の印鑑まで捏造されている。

その後、東軍と西軍が激突した関ヶ原の戦いに勝った徳川家康は、天下統一後の支配体制強化に乗り出す。そのなかで、朝鮮通信使は大きな材料だった。隣国の外交使節聘礼は幕府の権威を高める役割を果たし、それを迎え入れる各藩の出費は財政削り落としに有効である。このような一石二鳥ともいうべき打算が家康には、あったはずである。

二、２００年余りに12回来日

江戸時代は鎖国といわれるが、実際は海外に向かって四つの口（琉球、出島、対馬、松前）をもち、朝鮮と琉球とは通信の関係を保った。江戸には、朝鮮通信使、琉球使節、出島の阿蘭陀カピタンが参府し、将軍に海外の情報をもたらした。

朝鮮通信使は１６０７（慶長12）年を皮切りに、１８１１（文化８）年まで計12回来日した。名目は将軍の就任を祝う慶賀使で、国書を交換して両国の信義を確認し合った。ただし、３回目までは回答兼刷還使（さっかんし）といって、秀吉軍によって日本に拉致された朝鮮人を連れ戻すことを主目的とした。

通信使一行は漢城（ハンソン）（現ソウル）の王宮で国王から励ましの言葉を頂いて出発。江戸城での国書交換のため、８カ月から１年２カ月をかけて往復した。使節は、釜山から大坂まで海路。大坂から京都の淀まで川御座船で遡った後、陸路、江戸へと向かった。家康を祀る東照宮ができた日光にも３度、行っている。通信使一行は、三使（正使、副使、従事官）を筆頭に３００人から５００余人。国内一流の人材を抜擢した。

朝鮮通信使を迎えるため、幕府は年間予算（１００万両）を超える巨額を投入した。沿道の各藩の負担も甚大であった。接待をする沿道の各藩で10万石以下の藩には助成金を出した。10万石以上の藩は自前で供応に当たった。

三、朝鮮ブームに民衆は沸く

朝鮮通信使が来日すると、宿泊先には求画求詩の人波が押し寄せた。とりわけ、漢詩文の応酬をする製述官や書記の役割は大きく、「連日大勢の倭人らが　詩文を送ってくる　病を圧して　すべて和酬してやる」（金仁謙『日東壮遊歌』）という状況。どこの沿道でも、客館に儒学者、文人、医者、画家などが朝鮮の先進文化を学ぼうと盛んに足を運んだから、製述官らが悲鳴をあげるのも無理はない。

庶民の間では、「朝鮮人の字を得ておけば願い事が必ず叶う」という噂があったため、宝を求めるように集まったともいわれた。

通信使は異文化に接触できる江戸時代最大の外交イベントで、使節が行く沿道には、人垣が出来た。異国の風俗、音楽、舞踊を、縁日を楽しむかのように民衆は鑑賞した。

その影響は牛窓の唐子踊り（岡山県瀬戸内市）、分部町や東玉垣町（いずれも三重県）の唐人踊りなどが祭礼にも取り入れられ、現在も継承されている。興津（おきつ）（静岡市）の清見寺、牛窓の本蓮寺に残る多くの書画、さらには神社に奉納された絵馬などを見ると、当時の朝鮮ブームが手にとるようにわかる。

四、朝鮮人の日本認識を変える

朝鮮では、日本認識を変える上で、通信使行員たちからの伝聞や、彼らの残した日本使行録などが効果的だった。それを役立てたのは一部の知識人（実学者）で、彼らは感情的な敵愾心や華夷観から脱皮して日本を見詰め直し、文化的に発展する日本に対する関心を深め、多数の著作を残した。

例えば、李瀷（イイク）（1681～1763）。朝鮮王朝において、当時の朝鮮知識人の日本への無関心や固定観念から脱して、日本の幅広い分野に関心を持ち、日本社会の実相や変化に注目した。日本の技術の優秀さを認め、立ち遅れている朝鮮の技術を批判した。また、日本の武器の製造技術が進んでいることを評価した。朝鮮の技術が衰退したのは、技術を軽蔑する意識と制度のお粗末さからだと指摘する。通信使行をさらに活発化させ、3年に1回ずつという定期的な相互訪問、日本の使臣に対する接待を対日通信使の場合と同様に釜山の倭館、でなければ都・漢城で行うことを主張した。

第一章　韓国の道　概論

一、秀吉の朝鮮侵略を超えて

豊臣秀吉の朝鮮侵略（文禄・慶長の役、韓国では壬辰倭乱という）により、朝鮮は甚大な被害を受けた。もちろん、日朝間の国交は断絶した。秀吉の野望から始まった大義名分なき侵略戦争は、１５９８（慶長３）年８月18日、秀吉の病死で終わる。

７年間に及んだ秀吉の侵略の足跡を、年表でたどると、以下のようになる。

１５９２年４月　壬辰倭乱（イムジンウェラン）（文禄の役）勃発。釜山・東萊、陥落。忠州も陥落
　５月　秀吉軍、都・漢城を占領。国王・宣祖、義州に避難
　６月　秀吉軍、平壌占領
　７月　李舜臣、閑山島で大勝。加藤清正、咸鏡道で２王子を捕虜に
　10月　金時敏、晋州で大勝

1593年1月　朝鮮・明国連合軍、平壌を奪還
4月　都を収復
6月　秀吉軍、和平を提議（撤収開始）
10月　宣祖、都に帰還
1594年2月　訓練都監を設置
1595年6月　火砲・鳥銃を製造
1597年1月　丁酉再乱（ジョンユジェラン）（慶長の役）
8月　秀吉軍、全州を占領
9月　李舜臣、鳴梁で大勝
1598年9月　秀吉軍、撤収開始
11月　李舜臣、露梁海戦で戦死
12月　秀吉軍、撤収完了

二、悲劇の国王・宣祖

宣祖（第14代王）は、悲劇の国王である。まさかの、秀吉軍の侵攻。都・漢城に秀吉軍が迫ると、平壌・義州へと落ちのびていった。官僚の声に押されて、民衆を捨て、我が身の安全を優先したことで、都は混乱したし、国王の権威も地に落ちた。そのなかで、秀吉軍と勇敢に戦った王子・光海君（クァンヘグン）が名をあげ、王位継承者と目されていく。側室が産んだこの次男が注目されたことに、宣祖は悩むことになる。

大義名分のない秀吉の侵攻がなければ、宣祖は波乱万丈の人生を歩むこともなかった。宣祖の治世は41年間も

続いた。歴代24人の国王のうち、英祖（ヨンジョ）（在位52年）、粛宗（スクチョン）（同46年）、高宗（コジョン）（同44年）に続き4番目に長い統治となった。

朝鮮王朝で、王の嫡子、嫡孫でない者で、王室の傍系から初めて王位を継承したのが、宣祖である。珍しいことである。彼は中宗（チュンジョン）の後宮・安氏の生んだ徳興君（中宗の9男）の3男だった。明宗（ミョンジョン）の死後に大統を継承することになる。

大儒学者であり、政治の世界でも活躍した李栗谷（イユルゴク）は、宣祖のブレーンの一人だった。宣祖は、臣下にも恵まれながら朋党政治（政争政治）を試みたが、壬辰倭乱を予測できなかったことなどから、名君とは評されていない。

歴史家のなかには、宣祖に対して「士林を優遇し、国難を乗り切れるほど知略に長けていた」との評価がある一方、日本軍の侵略説があるのに民心を気遣って軍備を整えなかったこと、倭乱の際、援軍を送った中国・明との国境線にある義州まで逃げた上、戦功のある義兵将を逆に処罰したり、名将・李舜臣（イスンシン）を牽制したことなどで、〝朝鮮王朝最悪の王〟という悪評まである。

秀吉の死で朝鮮侵攻にピリオドが打たれ、戦後は関ケ原の戦いに勝ち、天下統一した徳川家康が対馬藩を通して、日朝の国交修復と朝鮮通信使の派遣を要請してくる。これにも否応なしに対応した宣祖の人生は、まさに波乱万丈であった。

三、朝鮮国内の行政区分、交通路

１３９２年、李成桂（イソンゲ）が建国した朝鮮王朝は、強力な中央集権制度を確立するために、郡・県制を改編した。すなわち、高麗朝に中央地方監営の慣行上の行政区域である五道両界の代わりに、八道制を実施し、漢陽と公州（コンジュ）、伝注、尚州、原州、海州、咸興、平壌（ピョンヤン）に監営を、各郡ごとに観察使をそれぞれ設置した。

※高麗時代の地方行政区域は1018年に確立。全国を楊廣道（京畿道）、慶尚道、全羅道、交州道（江原道）、西海道（黄海道）の5道と、東界（咸鏡道）、北界（平安道）の両界に区画された。

朝鮮王朝時代の道路大系は、高麗時代の駅道（22）を踏襲したが、遷都によって開城（ケソン）（現、北朝鮮）中心の駅道が漢城を交差路としたX字型の幹線道路に変わった。

中心地は漢城で、それを中心にして、

①西路。終着地は義州

②北路。終点は咸鏡の西水羅

③三南路。終点は康津

④南路（嶺南大路ともいう）。忠清道の東部地方を経て慶尚道の東萊まで

このなかで、最も重視されたのは、④の漢城から慶尚道までを繋ぐ道である。その理由は、この地域から税が一番多く徴収できたのと、漢城と東萊の間には、中規模以上の都市が全国で最も多く分布していた。従って、行政的な比重もこの地方に傾いた。

14世紀後半から15世紀初めにかけて、嶺南地方は倭寇（わこう）の略奪で甚大な被害を出した。その懐柔策として、朝廷では日本の室町政権はもとより、九州北部、山口の大名に倭寇の根絶策を依頼して、交易の道を開き、さらには投降してきた倭寇には官職を与えた。

日本の有力大名は盛んに漢城に使節を派遣した。朝廷では、その使節が行き来する上京往還路を決めた。その人数が急増するのに当たって、左路、右路、中路の3つの道に分散させた。

●左路＝蔚山の塩浦から漢城に至る路で、慶州、安東、忠州、陽川を経由し、丹陽から漢城までは南漢江の水路を利用した

●中路＝東萊の釜山浦から密陽（ミリャン）、大邱、尚州、鳥嶺、廣州（クァンジュ）などをたどる

●右路＝星州、秋風嶺、青州、竹山などを経由する

日本からの使節のために、釜山(プサン)には草梁倭館、漢城には東平館を宿泊施設とし、各種の便宜を与えた。この三路は漢城、釜山間に位置する地域に経済的、文化的な影響を与えたことはいうまでもない。こう述べる金聖雨(キムソンウ)・延世大学建築工学科教授によると、当時の都市を規模別にランク付けすれば次のようになる。

１ランク　漢城
２ランク　開城、平壌
３ランク　忠州(チュンジュ)、尚州、大邱、慶州
４ランク　廣州、清州、善山、密陽、東萊、晋州、安東(アンドン)
５ランク　龍仁(ヨンイン)、竹山、利川、清道、梁山、漆谷、統営、釜山、松坡、安城、金泉、馬山、牧渓
６ランク　清風、順興、青松、陽智、陰竹、咸昌、機長、幽谷、黄山

朝鮮通信使は漢城の王宮で出発式を行って、日本へと向かった。派遣人数は３００人から５００人。宣祖王以降、12回にわたって派遣された通信使の総人員は５０００人を超える。ただし、漢城から釜山まで向かった使節一行は１００人余り。残る２００人から４００人の一行は釜山に直接、集合した。その人たちは、水夫など身分の低い人たちだった。

四、通信使の韓国内旅程

通信使の日程をみると、漢城から釜山まで、約５００㎞を20日間かけて移動する。途中、移動が留まったことを勘案すると、１日平均23㎞進む。１日歩む距離で最も長いのは、慶州〜蔚山、最も短いのは漢城〜良才、聞慶〜幽谷、東萊〜釜山の各区間である。一般的な経路は、次の通りである。

漢城～漢江～良才駅（８㎞）
良才駅～龍仁（20㎞）
龍仁～陽智～竹山（28㎞）
竹山～無極～崇善（24㎞）
崇善～忠州（20㎞）
忠州～安保（24㎞）
安保～鳥嶺～聞慶（ムンギョン）（20㎞）
聞慶～新駅～幽谷駅（12㎞）
幽谷駅～龍宮～醴泉（イェチョン）（18㎞）
醴泉～豊山～安東（32㎞）
安東～一直～義城（ウィソン）（28㎞）
義城～義興～新寧（24㎞）
新寧～永川（ヨンチョン）（16㎞）
永川～毛良院～慶州（32㎞）
慶州～仇於～蔚山（ウルサン）（40㎞）
蔚山～龍堂倉（36㎞）
龍堂倉～東萊（18㎞）
東萊～釜山（８㎞）

途中、①忠州②安東③慶州④釜山で賜宴が催されるのが慣例となっていた。しかし、使節によっては、それ以外の土地でも盛大な饗宴が開かれた。

通信使が、慶州や安東を必ず通過しているが、その理由は地方都市として重視されていたからだろう。朝鮮王朝時代、行政区域の面積、戸数及び人口、租税額などを参考に地方官のランクを決めたが、慶州、安東は優遇された。戦略的な要地、名門の本拠地などが要因であったと思われる。周辺の尚州や大邱は比較的、ランクが低かった。

通信使が宿泊する場所は、各郡の守令との社交も大切な任務だった。慶州や安東では、守令をはじめ、周辺の道主、察訪、兵士などが集まり、通信使を接待した。通信使が行く経路は、人的交流のために選択されたのではないだろうか。

日本から帰国して釜山に到着。釜山から漢城に向かう「上行路」は、漢城から釜山に向かう「下行路」のように固定していなかった。「通信使が戻るときは、三使（正使、副使、従事官）が道を別にする」という記録がある。それによると、

▼正使は真ん中の路をたどって大邱を経て尚州に向かう。（1764年の場合、梁山、密陽、大邱を経て、鳥嶺を越えた）

▼副使は右側の路を通って慶州に向かう。（蔚山、慶州、豊基を経て竹山嶺を越える）

▼従事官は左側の路をとって金海へと向かった。（金海、昌原、星州を経て秋風嶺を越える）

五、『日東壮遊歌』の著者、金仁謙の旅

忠清南道の公州。古くは三国時代、百済の都で、加唐島（かからじま）（佐賀県唐津市）で生まれた武寧王の王陵発見によって注目をあつめた。こんにち、毎秋、百済祭を盛大に開催し、賑わう。ユネスコ世界文化遺産にも登録された新羅の慶州、高句麗（北朝鮮）の開城に続き、歴史地区として公州も扶余とともに登録された。

さらに、２０１７年10月末に、世界遺産に登録された朝鮮通信使に関する資料として、公州から３件が登録された。申濡（シンユ）（１６４３年、第5次の従事官）、金仁謙（１７６４年、第11次の書記）、金履喬（キムキョリ）（１８１１年、第12次の正使）である。

２０１９年4月、元公州大学教授の尹龍爀（ユンヨンヒョク）先生の招きで、公州を訪問した折、忠清南道歴史文化研究院で開催されていた通信使の「世界の記憶」登録記念の企画展で、申濡と金履喬の史料を見ることができた。同館学芸員の丁寧な解説により、２人が身近になった。

３人の中で、よく知られるのが金仁謙である。公山城を真向かいに臨む錦江の土手には、金仁謙の歌碑（詩碑）が立ち、尹龍爀先生が主宰する研究会では金仁謙の『日東壮遊歌』を読む会が開かれ、研究発表も行われている。金仁謙は、どのような人物か。漢詩文の才能に秀でた儒者である。出発前に、漢詩文唱和の担当官を呼び出した国王・英祖は金仁謙の出自、先祖について尋ねている。それによると、先祖の中には領議政もいた。いまでいえば、首相である。両班官僚の名門の出である金仁謙は、気位も高かった。しかし、謙虚さを忘れていない。日本に行き、江戸城での国書交換を終えて帰路につき、藤沢に着いたとき、後を追っかけて来た儒学者がいた。韓大年（通称・中川長四郎）と平英。江戸での別れに際して、２人とも、過分の餞別を心を込めて差し出している、それでも心が収まらず、追っかけてきた。金仁謙は、こんな感想をもらす。

誰がいったい倭人どもは　ずる賢く傲慢だと言ったのか　この者らの様子を見ると　気持ちが和らぐのを覚える

道中、日本を称えたり、貶したり、感情の起伏が大きい金仁謙だが。その言い分には説得力がある。というのは、理を尽くして判断しているからである。往路、福岡藩が接待した相島では大根をほめている。「大根がひときわ良く　長く大きく水気たっぷり　我が国の大根に比べ　百倍は優れている」、これは褒め過ぎであるが、日本のものでも、いいものはいいと褒め、称えている。

金仁謙は子孫に伝えるため、歌辞（カサ）の形式による『日東壮遊歌』を書いたともいっている。だからだろうか、読みやすい。日本使行録の中でも、道中の様子が仔細に描かれている。

漢城から釜山へと下る、約５００㎞を踏破する道中、金仁謙が何を思ったか。そこに注目すると、壬辰倭乱（秀吉の朝鮮侵略）の記憶が蘇ってきている。

漢江を渡り、二陵（秀吉軍に荒らされた宣陵と靖陵）にさしかかったとき、金仁謙は落涙する。

　たちまちのうちに漢江を渡り　二陵を過ぎるが／壬辰年の戦を思い　憤怒の涙が頬を伝う

達川（タルチョン）を過ぎる折も、そうである。

　申元帥と金将軍の　陣地跡を望みながら／律詩を一首作り　忠魂を慰める

釜山では、激情がほとばしり出る。

　悲しいかな壬辰の年　このように地の利を得たところ／忠武公（チョンム）李舜臣将軍が　防備していれば／倭兵がいかに強さを誇ろうと　上陸を許しはしなかったろう／三京が陥落　王は都落ち／国まさに滅ぶかに見えたそのとき　明皇帝の思し召しあり／天兵の来援を得て　ようやく難を免れたのである（中略）恥辱と憤怒の倭への道を　十一回目に辿ることになろうとは／不倶戴天（ふぐたいてん）の恨みを　忘れ果ててよくも行けるものだ／丈夫（ますらお）の怒髪　冠を衝（つ）き抜く思いである

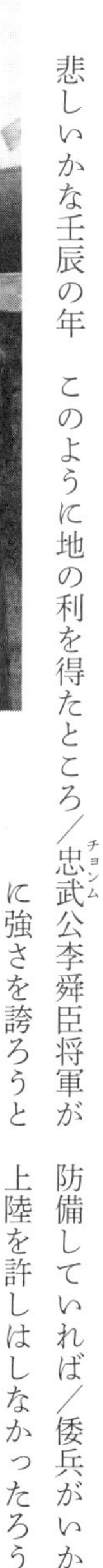

百済の都を偲べる公山城。
登り口には功績碑も

　１７６４年は、すでに壬辰倭乱より１６０余年の歳月が流れていた。しかし、大義名分のない、秀吉軍に国土を蹂躙された被害者の悲憤は未だ収まっていなかった。

被害者と加害者。両者の意識の隔たりは、とてつもなく大きい。「不倶戴天の恨みを忘れはててよくも行けるものだ」と、金仁謙は通信使派遣そのものに疑念を抱いている。

この激しさは、金仁謙の先祖伝来の、憂国の情から発せられたように思える。曾祖父の光燐の養父は、1636年、丙子胡乱の折、攻め込んできた清との和議に最後まで反対した忠臣・金尚憲（キムサンホン）であった。金仁謙はその子孫、玄孫にあたる。「偏屈者」「扱いが難しいな」と、通信使の従事官からいわれた金仁謙には、先祖の血が流れているのは確かである。持って生まれた性分は争えない、といえようか。

第11次の通信使は8月3日、漢城を出発したあと、歩みを進め、22日に釜山入りをする。金仁謙の道中記を読んでいて、日本へ行くまでの朝鮮半島縦断の旅も、苛酷であったことを知った。

第二章　韓国の道

一、ソウル

1592年、秀吉の朝鮮侵略で、都・漢城にある景福宮（キョンボックン）をはじめ朝鮮王朝の王宮の大部分が焼失した。加藤清正や小西行長が入城したときには、景福宮は焼失していたと伝えられる。賤民たちが身分制の足かせになっていた戸籍簿を保管している官庁に火をつけたといわれる。さらには、王宮で陣を張った宇喜田秀家軍の放火説があるが、その理由は奇異なものだった。ここに泊まった兵士が、夜な夜な血を吐いて倒れ、死ぬものが相次いだ。これに怖れをなして燃やしたという説であるが、定かではない。

国王・宣祖は先祖の位牌を持って朝鮮半島北部の義州に避難した。翌1593年、明の援軍派遣で勢力を盛り返し、宣祖は漢城に戻る。しかし、都城は秀吉軍の蛮行で灰燼と化していた。このとき焼け残った地域は南山一帯と徳寿宮（トックスグン）の一帯だけで、宣祖は民家を借りて仮の王宮にした。これを貞陵洞行宮（チャンヌンドンヘングン）と呼んだ。

日本に派遣された朝鮮通信使の最初の舞台となったのは、昌徳宮の熙政堂（ヒジョンダン）である。ここで通信使高官は国王に励まされた後、整列を組んで崇礼門（南大門）を抜けて王宮へ別れを告げた。当初、侵略による悪夢から覚めやら

ここ昌徳宮で儀式を終え、通信使は日本へ旅立った

ぬなか、日本との早急な交隣回復には、朝鮮国内でも釈然としない心情的抵抗感があった。

1607年に呂祐吉（リョウギル）を正使とする通信使（504名）がソウルを出発したとき、多くの文人たちがはなむけの送別詩を送った。そのなかに、尹安性（ユンアンソング）という文人は、次のような詩を送った。

使名回答　向何之　今日交隣　我未知
試到漢江　江上望　二陵松柏　不生枝

（解釈）

回答という名の使節は　いずこに向かうのか　今日の交隣を　我れいまだ知らず
試みに漢江に到り　江の上流を望めば　二陵の松柏は　枝も生えざるものを

ここで二陵というのは国王・成宗（ソンジョン）の宣陵（ソンヌン）と、中宗の靖陵（ジョンヌン）のことである。1592年、この二つの陵が秀吉軍によってあばかれた。

崇礼門を出て、南山を越えて漢江に出た通信使は、渡し場から川を渡り、初日の宿泊先である良才駅へと向かった。

王宮から良才駅に至る経過を、通信使の製述官や書記は、次のように描いている。

▼1607年、慶七松（キョンチルソン）（本名は慶暹（キョンソム））の『海槎録』（若松實訳）より

正月12日　晴。明けがたに王宮にはいり、王に旅立ちの別れの挨拶をする。酒と馬の鞍および定南針（羅針盤）1組を賜る。先に掌務官をして、書契を持って川の岸に行って待つようにさせた。巳の刻（午前10時）に

出発して、城門外で餞別の宴にあずかる。夜に漢江のほとりのいなかの家に投宿したが、曹輔徳と叔父および任進初があとを追って来てともに泊まり、有後も随行した

【朝鮮通信使関連史跡】

●昌徳宮(チャンドックン)の熙政堂＝国王の命令を受けて、旅立つ前に別れの挨拶をする場所

※秀吉の朝鮮侵略で焼失したが、復旧。王の寝所として使った大造殿とともに熙政堂は内殿。内殿は王や王妃の生活空間であった

●崇礼門(スンネムン)＝出発した通信使一行が宮殿を出て行く最後の門

●漢江(ハンガン)渡し場＝通信使一行が家族と最後の別れをした場所

○ソウルの歴史散策

(1)「暴を禦ぎ民を保つ」ソウル城郭

ソウル城郭を歩きたい、という声に「ほんとに?!」と、つぶやいてしまう。全長約18・２㎞。北岳山（標高３４２ｍ）、駱山（１２５ｍ）、仁王山（３３８ｍ）にまたがる城郭である。北岳山は一般の出入り禁止が、盧武鉉(ノムヒョン)大統領時代に解かれ、開放されるようになった。ソウルの名所として、市民はもちろん、観光客も訪れている。自然が豊か、景色もいい。

例えば、彰義門から臥龍公園まで。その間、約４・３㎞。歩けば、約2時間を要する。途中、眺望の利く白岳山（海抜３４２ｍ）、青雲台（２９３ｍ）と刻んだ石碑の立つ場所を過ぎ、ソウル四大門の一つ、粛靖門に到着する。ここで、門楼に登り、眺望を楽しみながら一服するのもいい。ただ、この北岳山の城郭周辺は特別警備地区で、警備の軍人がある間隔をとって立っている。

やはり旅行者には、彰義門から臥龍公園まで踏破するのは、大変のようである。彰義門周辺を歩くだけで、ソ

ウル城郭の雰囲気を味わうことで足りるのではないか。この周辺は、付岩洞といって、ドラマのロケ地として登場する場所である。『オ！ マイレディ』『コーヒープリンス一号店』『私の名前はキム・サムスン』……。ドラマを思い出しながら、おしゃれな店を覗き、ときには休んで、散策するのにとどめる程度でいいのではないか。

ソウルの城郭は、「暴を禦(ふせ)ぎ民を保つ所」という役割も担う。本来は、王都としての威厳を備えている。敵が攻めてくると、軍民一体で都を守ることになるが、どうも隙(すき)だらけであったようだ。外国軍によってソウルが占領されたのは、史上2回ある。豊臣秀吉の朝鮮侵略と、仁祖の時代の丙子胡乱(ピョンジャホラン)（中国・清軍の侵攻）である。このとき、抵抗らしい抵抗はなく、簡単に占領されている。『ソウル――世界の都市の物語』（文春文庫）の著者、姜在彦(カンジェオン)氏は、その中で「恐らく城壁は、王都をその外部と区画する垣根としての役割しか、果たせなかったのではなかろうか」といっている。

(2) 王宮と風水地理説

城下町。日本の街づくりの特徴の一つである。これに相当するのが、中国、韓国では城壁の町であろう。中国には、昔の城壁がそのまま残っている街が多くある。韓国では正祖(チョンジョ)（第22代王、イ・サンのこと）が離宮として築城した水原(スウォン)華城(ファソン)が、その典型である。

かつて孔子とその一族が眠る中国・済南市の曲阜(きょくふ)に泊まったとき、城壁で覆われた街中にいることに安堵感を覚えた。円状に街を囲む城壁には門があり、夜と朝、決まった時間に開閉された。城壁の役割は、いうまでもなく外敵から身を守るためのものであるから、門の開閉が必然的に生まれる。

ソウルも、城壁の街であった。朝鮮王朝時代、漢城といわれた。城壁に囲まれ、城内に入るには東西南北の4つの大門から入った。それが東大門（興仁之門）、西大門（敦義門）、南大門（崇礼門）、北大門（粛靖門）である。

ここからの話は、韓国ガイドが説明するような、定型にはまったような説明となるが、都の概要を伝えるため、あえて触れておく。

王宮は、大きく三つの部分に分けられる。
1、公式行事をする場所（外朝・正殿）／2、日常の政務を行う場所（内朝・便殿）／3、私的な生活を送る場所（燕朝・寝殿）
最も古い王宮である景福宮の場合、1が勤政殿、2が思政殿、3が康寧殿、交泰殿にあたる。

朝鮮王朝の王宮は、宗主国の中国の形式にならっている。古くから東アジア世界は中国を中心に成り立ってきた。朝鮮も中国と冊封関係を結び、さまざまな文物を取り入れた。朝鮮という国号も中国・明から認められたものである。朝鮮は中国の属国的な扱いを受けた関係で、王宮も中国より一段、格を下げて建てられた。

景福宮の建設工事には、山寺の僧侶も従事した。儒教を国教とした朝鮮王朝では僧侶は賤民とされた。仏教が重んじられた高麗王朝とは待遇に、天と地ほどの違いが出た。僧侶のすべてが寺にあって修行や説法をしたわけではない。収入を求めて葬式や法会、工事などに参加することで流人化していった。

景福宮の康寧殿、交泰殿一帯の建物の配置や、名前のつけ方は、陰陽五行説に大きく影響を受けている。陰陽によれば、すべてのものは陰と陽の二つの「気」から成り立っている。陰と陽が相互に対立するのでなく、陰から陽が、陽から陰が生まれ、それが循環すると考えた。

韓国の国旗、太極旗は赤と青からなる円が旗の中央に描かれているが、これは陰と陽の関係をあらわしたもの。赤が「陽」、青が「陰」で、韓国の街でよく見かける赤と青の文字で書かれた看板もその一種である。

朝鮮王朝の都として、500年以上続いた漢城は単に防御や交通の便だけでなく、風水的に優れた土地＝明堂、としての条件をほぼ満たしていた。

(3) 蘇った清渓川と中人

韓国の元大統領、李明博（イミョンバク）氏はソウル市長時代に清渓川（チョンゲチョン）を清流に復活させて市民の憩いの場に作り変え、市民から喝采を浴びた。古く清渓川一帯は、朝鮮において文明開化の震源地となったような場所だった。

朝鮮王朝時代、24の橋が架かっている清渓川辺の一帯を、中村と呼んだ。中村の住民の大部分がいわば、医術・天文・通訳のような技術職の中人（チュンイン）階級であった。両班でも商人でもない、それらの中人階級は官職につくこともできたが、一定以上の昇進はできなかった。最高でも四、六品以上には昇れないのが鉄則であった。

しかし、開化思想を誰よりも早く受け入れていたのは中人階級であった。それは、通訳官として外国に出向く機会が多かったという職業的条件にもよった。

呉慶錫（オギョンソク）（開化派の思想家。金玉均（キムオッキュン）の師匠）は中国において西欧の文物を輸入し、それを劉鴻基（ユホンギ）に伝えた。劉鴻基は中人特有の現実的視点で西欧の文物を体系化した。こうして金玉均などに伝えられた開化思想は、遂に甲申政変（カプシンチョンビョン）（1884年、開化派が起こしたクーデター）へと進展した。

朝鮮王朝を建国した李成桂は都を開城から漢城に移し、王城を建設した。遷都してから年々人家が増え、施設が拡張するうちに北岳山、仁旺山、南山から都城内に流入する水が、豪雨のときに氾濫して被害が広がった。大小の水路を幹線の清渓川に結ぶ開削工事は太宗12（1412）年に1カ月をかけて行われ、都城内を西から東に流れる清渓川は、美しい河川となり、都民の憩いの場になった。

世宗（在位1419~1450）、英祖（在位1724~1776）のときにも、清渓川の清浄化が行われた。都城において清渓川は生活廃水の汚水が流れ込む川だったからだ。

英祖は「開川を浚（さら）うのも民衆のためであるのに、どうして民衆を苦しめようか」といって、千万両の費用で人夫を雇って浚渫をやり、1カ月足らずで終わった。このとき濬川司を設けて毎年1回ずつ浚渫することを恒例化し、またその英祖49（1773）年には川べりを石で築いた。

⑷　太平の世はいつ？　都城博物館で思う

どんな時代に生きるかによって、民衆の生活は異なる。その幸福度にも違いが出てくる。ソウルの城郭と南漢山城を歩いて感じたのは、これを作るに当って民衆に課せられた労役の重さである。城郭、城壁は石材によって作られる。石を切り出して加工し、積み上げていく。この作業がいかに苛酷なことか。

王都を守る城壁は、山の稜線を利用して築いているため、高い位置にある。そこに石を運び、総延長18・1kmにわたり、つないでいく。

２０１８年５月、実際に城郭に登り、彰義門から北岳山の方角へ歩いたが、平たんな道はわずかだった。勾配のある坂道が続く。山頂まで上ろうと思ったが、途中で断念した。城壁は、高いところで５ｍを超える。

朝鮮王朝を建国した李成桂は、都を開城から漢城へと移し、城郭築造に乗り出す。鄭道伝（チョンドジョン）に命じて、１３９６年に都城築城都監を設け、動きは本格化した。

第１期工事＝１３９７年１月９日～２月28日。延べ11万１１７０人動員

第２期工事（東大門付近）＝同年８月６日～９月24日。延べ７万９４００人動員

２期間にわたる工事で、城郭が全貌を表す。ただ、工事期間が第１期が冬場であることを考えると、難工事であったことが想像できる。第２期も、低湿地であったため、大変だったらしい。すべて、そのしわ寄せは民衆に課せられた。その後、第４代王・世宗（セジョン）と第19代王・粛宗（在位１６７４～１７２０）のときに、改修工事が行われている。

「築城で、亡くなった人も多いでしょう。冬場は、寒さとの闘いもある。民衆は苦汁をなめたでしょう」。東大門の近くにある漢陽都城博物館で、展示品を見ていると、そんな感想が聞かれた。

よくできた博物館である。１階から３階まで、都城に関する資料を実によく集めている。地図、文書、文字を刻んだ城石拓本、絵画、小道具、門の飾り瓦、石工たちの模型、暮らしに関する資料……。王都誕生から朝鮮王

朝を経て、大韓帝国、植民地時代、解放にいたる近現代史までを網羅する。都城から学ぶ韓国の歴史という感じである。

博物館で、考えたことは、朝鮮が安定した、穏やかな時代はいつだったのだろうか、ということ。名君といわれる国王に、成宗（第９代王、在位１４６９〜１４９４）がいる。王座に25年間いた。朝鮮王朝実録に「成宗は太祖以来、築き上げてきた朝鮮王朝体制を安定させ、朝鮮の民衆も開国以来、最も泰平な世を迎えることができた」とある。

民衆にとっては、よき時代であったに違いない。

ただ、成宗の時代は、ドラマに余り出てこない。それは、なぜか。ドラマにするには、波乱万丈な姿に乏しかったからであろう。

(5) 北村韓屋、『1泊2日』で人気に

北村(プッチョン)韓屋(ハノク)マウル。仁寺洞(インサドン)の北側、大統領府・青瓦台にも近く、王の景福宮と昌徳宮の間に位置する。韓国のバラエティー番組『１泊２日』で、人気が出たところである。嘉会洞、桂洞、苑西洞などで構成された一帯である。朝鮮王朝時代、王族、両班(ヤンバン)といった権門勢家が居住していた。一方、南山のふもとには下級官吏や貧しい両班の住居が集中していた。

北村は開発が規制されたため、昔の姿がそのまま残されている。北岳山や鷹峰を背景とするこの地域は北高南低で、昔は山水が美しいうえに、南の方には緑深い南山を眺めることができた。日当たりや排水も最良の高級住宅地だった。

韓屋がぎっしり並ぶ、その間の路地を抜けながら、北村八景を楽しみたいと思う。疲れれば、大通りにあるカフェで休めばいい。

かつて日本民芸運動の指導者で、哲学者である柳宗悦は、朝鮮芸術の特徴を「曲線の美」といった。民家の屋根が曲線を描きながらつらなる景観美を、そう指摘した。

彼は植民地時代、浅川伯教・巧兄弟の導きで、京城（現ソウル）を度々訪れる。陶芸の美に魅せられ、民族博物館を設置するまで入れ込んだ。光化門が取り壊しの危機に遭遇するや、保存を訴えた人である。朝鮮は「曲線の美」といったが、その実感は南山に立って市街を展望したときに沸き起こってくる。

> 眼にうつるのはその家屋の屋根に現れる限りない曲線の波ではないか。若しこの原則を破って、その中に直線の屋根が見えるなら、それは日本か又は西洋の建築だと断言してよい。（中略）曲線の波は動く心の徴である。都市は大地に横はるといふよりも、波のまにまに浮ぶのである。そこに眺め入る時、彼岸の渚を打つ音をかすかに聞く想ひがある
>
> （『朝鮮の美術』より）

ちなみに中国は「形の美」、日本は「色の美」である、と柳はいった。

屋根瓦がきれいな韓屋マウルを見下ろすことができる場所に立てば、「曲線の美」を堪能できるであろう。数年前、全州（全羅北道）の韓屋マウルを、丘の上から眺め、調和のとれた、波打つ瓦の美しさに見とれたことがある。

(6) ソウルの宣陵、靖陵を見学へ

ソウルの江南区に行く。成宗とその継妃、それと中宗の陵墓を見たいと思っている。前者が宣陵、後者が靖陵である。これがまとまって存在する。ソウル都心近くにある王陵は三つあるが、そのうちの一つである。宣陵と靖陵は、秀吉軍の朝鮮侵略で暴かれ、荒らされた。秀吉亡き後、天下統一を遂げた徳川家康は国交修復、朝鮮通信使の派遣を要請する。ときの朝鮮国王、宣祖はそれを受け入れる条件の一つとして、王陵を荒らした犯人を差し出すように回答した。戦時下、何が起こるか分からない。秀吉軍が王陵を荒らしたこと自体、ときの勢い、成り行きであったか。ただし、王陵凌辱は朝鮮側にとって許しがたい行為であった。

朝鮮には、逆賊を罰するときに当人が亡くなっていたとしても、墓を暴き遺体を傷つける「剖棺斬屍」という行為がある。遺族にとって屈辱的なことであるが、逆賊の立場からしてこれを阻むことはできない。「剖棺斬屍」に遭った官僚に成俔（ソンヒョン）がいる。朝鮮王朝時代、5代の国王に仕えた人物だが、晩年、暴君・燕山君（ヨンサングン）（第10代王）に仕えたことで、「剖棺斬屍」に遭遇する。

燕山君が暴君といわれるのは、母親・尹氏が仁粋大妃（インステビ）らの謀略で非業な死を遂げたことを知って、それに関わった官僚、王族などを片っ端から殺害したことに由来する。いわゆる甲子士禍（カプチャサファ）である。人心が荒れた宮廷で、成俔は、どう生き抜いたか。1501年正月18日、天変が発生した。これをどう捉えるか。王から人々に意見を問いただす旨の命令があった。

当時、大司憲の成俔は、官僚を代表して上疏するに至る。分量は原稿用紙にして、ほぼ20枚という長さ。要点は6つあった。

①学問をないがしろにしてはならないという諫言（かんげん）
②諫言に耳を傾けるべきであるということ
③財務を整え、節約に努めねばならないということ
④文武のうちの文を尊ぶべきこと
⑤祭祀を丁重に執り行うべきこと
⑥弄物喪志の戒め

燕山君は、あからさまに処分を下すこともなく、一応、諫言を受け入れる。しかし同年12月、生前の言動に私情をはさむところがあったとして、墓は暴かれ、死体は切り刻まれた。いわゆる「剖棺斬屍」である。この一件から、不幸な死に方だけは免れたことが分かる。

成俔は、積極的に阿諛追従して悪王の享楽生活に身を投じる、保身に走る官僚ではなかった。成俔は、骨のあ

る政治家であった。

顕官を歴任した成俔は、説話文学に名を残している。『慵斎叢話（ようさいそうわ）』である。朝鮮王朝の宮廷人や民衆から聞いた噂話・伝説・怪奇譚をまとめたのが、この本である。韓流・歴史ドラマの原典ともいわれている。

二、龍仁――佐賛

別れを惜しむ。この辛さは昔も今も変わらない。都を発った通信使一行を追って、家族や親族、友人が聞慶鳥嶺（ムンギョンセジェ）を越える手前の忠州あたりまでやってくる。情の深い民族性を、ここに見ることができる。

１６０７年、初めて派遣された通信使の副使、慶七松の『海槎録』（若松實訳）にこうある。都を1月12日に出発して2日目のこと。

> 13日。（中略）宵の口、龍仁県に着いたが、県監は趙宗男であった。振威県令の李昇が、また兼定官として来ており、静かに話をかわす。兄の述古が昌後、および李晬然とともに来ていっしょに泊まる。
> 14日。（中略）龍仁県をたち、佐賛（ジャジャン）駅前の道に達し、丹陽の安宗吉の一行に会い、ともに座ってしばらく話をして別れた。擇甫、容甫、蘇大震たちが、金領川のほとりに来て待っていた

朝鮮王朝時代、中国に行く燕行使（えんこうし）という使節もあった。彼らを送り出す家族、知人たちは酒宴を開き、郊外まで出て見送っている。燕行使に選ばれることは誉れであった。朝鮮通信使は派遣初期のころ、悲痛な面持ちで出発した。秀吉の蛮行（朝鮮侵略）の面影がずっと尾を引き、野蛮な「武」の国・日本というイメージがいつまでも付きまとう、つらい旅となった。無事に帰れるかどうか、心配する人もいた。

秀吉の蛮行から１６０余年経っても、変わらない。１７６４年、通信使・書記に選ばれた金仁謙は都を出発する前、公州に帰郷して、家廟に別れの挨拶をする。そのとき「残る妻子を顧（かえり）みやれば　これぞまさしく生離死別

その様は見るも哀れである」（『日東壮遊歌』より）と、胸を痛めている。

朝鮮半島の古今の詩歌の中で最も多いテーマが故郷からの離脱哀愁、とジャーナリストの李圭泰（イギュテ）氏は『韓国人の情緒構造』（新潮社）の中で言っている。さらに、これを「韓国的情緒の根源であり、最大公約数は、故郷へ帰ろうとする郷愁であり、故郷を離れて来たことに対する離脱哀愁だ」と指摘する。この傾向は、近代の流行歌に顕著にみられる。

▽広州で、朴梓の子孫が歓待

「広州（クァンジュ）の朴梓（パクジェ）の子孫から、いただいた書籍です。全員にくれました。祖先を称える子孫の活動には、驚きました」。そういって、２冊の本を関東在住の女性からいただいた。２０１９年4月、21世紀の朝鮮通信使・日韓友情ウォークに参加した折である。ソウルを出発したメンバーと合流した慶州でのこと。通信使研究においては、貴重な本である。「広州で子孫に歓待されました」という話も聞いた。

京畿道の中心部にある広州市といえば、三国時代、百済の第13代王・近肖古王（クンチョゴワン）（在位３４６〜３７５）のとき、都があった由緒ある地である。朝鮮王朝時代には、官窯（広州官窯）がおかれ、白磁が盛んに製作されたことで知られる。

21世紀の通信使ウォークの日本側会長の話では、かつて子孫が一部区間ながら、通信使の道を一緒に歩いてくれたそうである。もしかしたら、釜山で毎年5月に開催されている通信使祭りに招かれ、再現行列の輿に子孫が乗ったかも知れない。

いただいたハングル版の本は、朴梓の『東槎日記』と許キョンジン氏（延世大学神学科客員教授）の『雲渓朴梓の「東槎日記」研究』である。前者は、ユネスコ世界の記憶（記憶遺産）に登録された原本の解読書である。２冊の本には、最初にグラビア写真が幾枚かあり、その中に、朴梓が釜山へ向かう途中、広州（現、京畿道）で墓参りに訪れた先祖の墓所の姿が掲載されていた。朴梓の墓は忠州にある。

朴梓は１６１７年、第２次の通信使副使として、来日した。本来ならば、通信使は将軍の代替わりの節目に派遣されるが、このときは豊臣一族を滅ぼした「大坂平定」を名目に派遣された。京都伏見聘礼といって、京都止まりである。

第３次までは、秀吉の朝鮮侵略で、日本に連行された朝鮮人を連れ帰ることが最大の目的で、回答兼刷還使といった。第４次から、やっと朝鮮通信使という名称が定着する。

朴梓は１５６４年、広州の泉浦に生まれた。字は子挺、号は雲渓。高霊朴氏の、22代目の子孫である。父親は領議政を務めた人物であることからも、名門の家柄ということが分かる。

始祖は統一新羅の54代・景明王（キョンミョンワン）の2番目の息子というから、元来は王族である。高麗時代に代々、出仕して名声を高め、李成桂が朝鮮王朝を建国する際に、功績を残し、功臣として称えられている。

朴梓は25歳で進士に合格し、38歳で別試に及第して官僚の道を歩む。秀吉の朝鮮侵略に苦しめられた宣祖亡き後、王位に就いた光海君の治世下、文官として司諫、典翰など数々の要職を歴任した。

１６１７年、通信使副使として来日し、伏見城で国書交換に臨んだが、日朝の思惑がぶつかる、張りつめた空気が漂っていた。まだおぼつかない徳川家の権威を固め、豊臣家残党に対して政治的威圧感をどう示せるか、将軍秀忠も幕僚もあくせくしていた。通信使は、それに花を添える存在だった。

朝鮮側は、国書に不敬な文字が記されることに神経をとがらせた。それと、連行された朝鮮人帰還への協力が焦点となった。

日朝の懸け橋となる対馬藩は、双方の意図を重んじた。このときも、国書を改ざんしてまで、両国の友好・親善を演出している。

重い任務を果たして帰国した朴梓は、都に残るように命じられ、残務整理に励む。その後、朴梓は行護軍や江陵府使を務める。しかし、仁穆大妃の母子異宮問題で反対したことから解職され、忠州の泉浦に帰郷し、1622年55歳で世を去った。

遺族には、不本意な形で政界を退いたことが心残りであったと思う。それが解消される好機が訪れる。仁祖反正である。暴君と化した光海君を追放するクーデターが発生し、新国王・仁祖が体制を一新させた。これに伴い、朴梓の名誉も回復された。遺族も喜んだと思う。

三、忠州

忠州は、その地勢的位置から、朝鮮半島のへそといわれる。三国時代、高句麗と百済、新羅がこの地でぶつかりあい、覇を競った。高句麗が制覇すると、住民は高句麗人に、勝利する国によって住民は百済人にも新羅人にもなった。

忠州博物館で、展示された中原高句麗碑と丹陽新羅赤城碑（模型）を見ると、ここが三国時代を通して重要な要衝であることが分かる。

秀吉の朝鮮侵略で、忠州は最後の砦となった。朝廷が最も信頼する申砬将軍が陣を構えていたからだ。しかし、その期待も虚しく全滅してしまう。宣祖の嘆きは、いかばかりだったか。忠州の敗戦は、国王の都落ちを決定づけた。この戦闘の様子は、忠州世界美術館に陳列された絵画で確認できる。

朝鮮通信使も忠州入りすると、申砬将軍らに思いを馳せた。「申元師と金将軍の　陣地跡を望みながら　律詩を一首作り　忠魂を慰める」と、金仁謙（1764年の通信使・書記）が『日東壮遊歌』に記すほどである。

申砬将軍が戦った一帯は、弾琴台といわれる。その地名の由来は、6世紀半ば、新羅に帰化した加耶出身の于勒にある。忠義を誓った彼は、12弦の楽器で歌を作って披露した。それが、この場所である。

忠清道には両班が多く住みついた。両班といえば、激しい党争を繰り返す欲の塊のように思えるが、両班によって性格も異なる。

山河が穏やかで美しい、この地に惹かれた忠清道の両班は、礼儀正しく穏やか、中庸を重んじる性格だったという。それほど、忠清道は風雅に富んでいたといえる。その風が両班にも反映している。安東の仮面劇は有名であるが、それは両班を中心にする社会への恨みを晴らす、庶民にとっては鬱憤晴らしであった。その仮面劇が、忠清道には、ほとんど存在しないといわれる。この土地の両班の気質を知る、一つの手がかりとしては大きい。

忠州で、秀吉軍と戦った申砬将軍の像

弾琴台には申砬と兵士をかたどったモニュメントが立ち、川添いには申砬将軍の殉節碑も立つ。博物館にある「忠州抗争室」には、弾琴台で秀吉軍の進撃を止めようと奮戦した申砬将軍の肖像画が展示されている。

四、聞慶

聞慶鳥嶺(ムンギョンセジェ)は1千m級の山で、南北をさえぎる。白頭大幹の鳥嶺山の尾根を越えるこの峠は、アリラン峠として嶺南(慶尚道)から都・漢城に至る最短の道だった。〝韓国の箱根〟といわれる聞慶鳥嶺は南北を結ぶ主要幹道である。数々の歴史が刻まれている聞慶鳥嶺は、山歩きが好きな韓国人にとっても、人気のある場所である。

かつて、ソウル側から車で途中まで上がり、約1千mある山頂を目指し、そこから3つの城壁を潜って南へと

聞慶鳥嶺の第二関門。第一、第三関門の間にある

降りたことがある。70歳を超えた元韓国外交官、柳鍾玄（リュジョンヒョン）先生が同行してくれた。下山するまで3時間超を要した。南北をつなぐ幹道は、山の頂を境にして走る。その一角に、科挙試験を受ける両班階級の若者の銅像が立っている。歴史ドラマにも、よく出てくる時代衣装をまとって。合格の2文字を心に刻み、多くの若者が鳥嶺を越えて行った。銅像は見上げるばかりの大きさだった。

　秀吉の朝鮮侵略のとき、加藤清正、小西行長も、この道を攻めあがったのであろう。傾斜がなだらかである。険しくないから、秀吉軍にとっては、攻めやすかったはず。地理に詳しい朝鮮軍は、坂道を登ってくる秀吉軍を防げそうなのだが、実際は鉄砲（火縄銃）の威力に打ち負かされ、一気に突破された。

　雨が降ると、聞慶の鳥嶺越えは難儀である。１７１９年の通信使は春4月、それを経験する。製述官の申維翰（シンユハン）は、日本使行録『海游録（ヘユロク）』の中で、次のように記す。「雨を冒して鳥嶺を登る。嶺路は泥濘（ぬかるみ）のため馬蹄を没し、行くことははなはだ困難をきわめた。嶺上に草舎を設けてあり、一行の駅馬を乗り換えるところであった。余はすなわち金泉の駅馬に乗った」とあり、苦労した様子がうかがえる。

　麓の城壁を潜る手前まで、川に沿って歩いたが、巨岩があちこちに存在する。それに儒学者、文人らが漢詩を刻んでいる。役人が自らの業績を称える石碑も立つ。石に刻めば、後世に残るし、子孫の誉れにもなると考えるのであろう。両班は漢詩文の才能がなければ、科挙試験に合格できないので、石に刻む儒学者は、その才能を誇る意図もあったのであろう。

聞慶鳥嶺を下りると、麓にロケ地（ＫＢＳ撮影セット場）が広がる。ドラマ撮影のために、王宮を中心に都の一部が再現されている。テーマパークのような代物である。近年、ロケ地としては、水原に近い龍仁（ヨンイン）が重宝にされているようである。

聞慶はリンゴ（韓国語でサグァ）の産地。シーズンの秋、沿道には、赤く色づいた美味しそうなリンゴが並べられる。

【朝鮮通信使関連史跡】

●漱玉滝（スオクポクポ）＝通信使一行が、笠を脱いで休息し、酒を交わし楽しんだ場所
●新恵院（シンヘウォン）＝馬を交換した場所
●鳥嶺＝釜山に向けて南行するため越えなければならない峠
●鳥嶺関＝鳥嶺には三つの関所があるが、その最初の関所
●交亀亭（ギョクチョン）＝道中、休息をとり、詩を作った場所
●龍湫滝（ヨンチュポクポ）＝昼ご飯をとった場所
●鳥嶺村社＝無事に帰還できることを祈願した場所
●冠山之館（クァンサンチグァン）＝通信使が泊まった聞慶の宿舎

【資料館&博物館】

●昔の道博物館＝豊富な資料をもとに、旧道の歴史などを紹介

▽ドラマで御馴染みの聞慶鳥嶺。アリランもあった

鳥嶺山の尾根を超える峠は、アリラン峠として嶺南（ヨンナム）（慶尚道）から漢城に至る最短の道だった。南麓の道路脇にソンビ（士大夫）の大きなブロンズ像も見える。その手前に、昔の道と命名された博物館がある。土地の歴史を知

る上で、参考になると思い、入った。

2階建ての博物館に入ると、いきなり、地面に聞慶を中心にした地図が広がっている。都に至る間に、どういう都市があり、都まではどれくらいの距離なのか、おおよそ見当がつく。

1階の陳列は、意外にも聞慶鳥嶺アリランを紹介するスペースとなっている。アリランといえば、珍道（チンド）、密陽（ミリャン）、旌善（チョンソン）が韓国三大アリランとして有名だが、ここにもアリランがあった。当然といえば、当然である。峠のあるところには離別の歌が残る。それがアリランである。聞慶鳥嶺アリラン保存会もあるように、このアリランも伝統がある。古い雑誌、レコード盤など、陳列品も多い。音符を見て、長く合唱団で歌ってきた韓ドラファンGさんが、少し歌った。哀調が、やはり込められている。旌善アリランほどではないが……。

2階に上がり、昔の道を地図や、遺物でたどった。朝鮮王朝後期、全国を歩いた詩人、金笠（キムサッカ）の姿がよみがえってくる。彼は祖父の不始末でお家廃絶となった両班の息子で、家を捨てて、漢詩文の才能だけを頼りに、全国を放浪した。道といえば、金笠である。陳列品の中には、各階層の帽子も並べられていた。

面白かったのは、科挙試験の答案用紙で、その韓紙の広いこと。ここに、両班の青年たちは、競うように筆を走らせた。その情景が浮かんでくる。首席で合格した者には、花飾りを付けた姿で馬に乗って、市中にお披露目する儀式さえあった。それも紹介している。

清道旗を掲げた行列が描かれた絵画がある。もちろん、複製品。武人の演技を観閲に行く行列で、金弘道（キムホンド）、申潤福（シンユンボク）の風俗画も添えられている。国王や官僚らが乗る輿に車輪が付いている絵を見て、このようなものがあったか、疑問に思ったが、韓ドラファンはよく知っている。「ドラマに出てきました」と説明してくれた。

この後、左右に大きく広がる城跡、第一関門を抜けて、韓国でも規模の大きい史劇ドラマ撮影現場、聞慶鳥嶺オープンセット場を見学した。

ここに入るのは、3度目だが、いつも思うことは、韓国は商売っ気がないということ。セット場に、スチールで過去撮影されたドラマの紹介や、特性グッズや土産品を売る場所もあっていいと思うが、一つとしてない。いまも撮影に使用されているロケ地だからなのだろうか。官衙の建物や、大きな両班の屋敷や商家の間を走り抜ける通りを歩きながら、何か物足りないという思いに陥る。

五、安　東

安東は両班の里といわれる。両班とは高麗、朝鮮王朝時代、官僚を出すことができた最上級身分の支配階級。両班という言葉の本来の意味は、朝廷で儀式などが行われる際、そこに参席しうる現職の官僚たちを総称するものであった。

両班たちの生活信条として最も重んじられたのは奉祭祀、接賓客、すなわち祖先に対する祭祀を欠かさず丁重に行うことと、親族のものや友人をはじめとする訪問客をねんごろにもてなすことであった。

両班は婚姻関係を通じて結合するとともに、学問を通じて結びつきを深めた。安東では、朝鮮第一の儒者、「海東の朱子」（海東とは朝鮮のこと）、李退渓（イテゲ）の存在は絶大で、陶山書院（トサンソウォン）で後進を指導し、いまでいう学閥の形成に決定的な役割を果たした。門下には秀吉の時代、通信使副使として来日した金誠一（キムソンイル）、国王・宣祖を宰相として支えた柳成龍（リュソンニョン）など時代を動かす人物が輩出した。

観光地として人気を集める河回村（ハフェマウル）は両班の里。大きな邸宅がひしめき合う。豊山（プンサン）もそうで、16世紀段階の在地両班層は、奴婢を用いた直営地経営を手広く営んでいたことを偲ばせる。「安東は大都会」。そう評価される安東は、学問の盛んな豊かな都市で、通信使を迎え饗宴も盛大に開かれた。内陸にありながら、蛸の大消費地。というのが蛸を「文魚」と書くからである。文に秀でるよう、縁起を担いだのであろう。

ただ、儒教を国教とする朝鮮王朝時代、厳しい身分制によって下層民は抑圧され、悲哀を味わった。しかし、

洛東江沿いに立つ映湖楼

両班など知識階級の醜態を笑い飛ばす安東仮面劇の隆盛に、おおらかな気風を感じる。

通信使を送る餞別の宴を行った映湖楼（ヨンホロウ）に立って、市街地を眺めると安東は水都でもあるという印象をもつ。周辺地域には、標高５００ｍ前後の山が多数存在しているが、在地両班層はこうした山間部の平地帯に進出し、農地開発を積極的に推進したという話を聞いた。

１８９４年、甲午改革によって身分解放が行われ、両班特権の廃止が宣言された。しかし、朝鮮王朝時代から続く両班への上昇志向はいまだに根強く、むしろ拡大する傾向にあった。その端的な例として、族譜（チョッポ）編纂事業が盛んなことだ。族譜はほとんど明らかな両班の同族のみで作成されていたが、現在では同姓同本（本貫と姓が同じ）の人々を網羅するようになり、収録範囲は非常に広がった。その結果、多くの人々が自己を両班家門の末裔と認識するようになった。

１７６４（英祖40）年、書記として通信使に随行した金仁謙が書いた『日東壮遊歌』をもとに、安東での一行の足跡をたどった。その記述を紹介したい。

●8月12〜13日　醴泉→豊山→安東→太師廟（テサミョ）

ピゴル、ヨッコル二つの墓所に　立ち寄って拝礼する
スェオメ[*1]に住む同族たちが　皆集まり待っている
この地には八代の祖が建てた　三亀亭（サムグィジョン）が今も残り
我が先祖清陰（チョンウム）が住まわれた家には　同姓の同族が住んでいる

ゆっくりする暇もなく馬に乗り　豊山の站(タン)[*2]へと急ぐ
奉化(ポンファ)の者に急いで整えさせた　茶菓と中食をとり
オレの墓所を過ぎ　安東府中へ入る
安東は大都会　我が家の祖先の地である

（中略）

前例にならい一日逗留　音曲など楽しみ日を送る
太師廟[*3]に参詣した後　この地の館[*4]へ行き
詩を一首次韻　夜に入って退出する

＊1　慶尚道安東郡豊山面の素山(ソサン)のことか
＊2　休息をとるための施設
＊3　高麗時代に建てられた「三功臣廟」のこと
＊4　安東府城内の客舎のこと。三使が宿泊したとみられる

【朝鮮通信使関連遺産】
- 棣華亭(チェファチョン)＝通信使一行が昼食を食べた場所
- 雄府(ウンブ)公園の永嘉軒(ヨンカホン)＝安東の昔の官庁があった場所
- 雄府公園の太師廟＝高麗建国の3人の功臣を祀った位牌堂
- 映湖楼＝餞別の宴を行った場所。眼下の川では舟遊びも楽しんだ

通信使が休息した安東の三亀亭

○安東の歴史散策

⑴ 安東で出会う、柳時元と柳成龍

安東の河回村を訪ねると、ある家の前にツアー客が殺到している光景を幾度となく見た。表札には、兄弟の名前が記されており、その一人が「柳時元（リュシウォン）」である。ここは人気俳優・柳時元の居宅である。「フィリーング」でデビューし、『プロポーズ』『美しき日々』など、トレンディドラマ全盛期に活躍し、歌手、司会、カーレーサーなど多才な俳優として話題を集めた。彼は、朝鮮王朝時代の宰相・柳成龍の13代目子孫である。柳成龍はドラマ『チンビロク』で、宣祖を支える左議政として、存在感を示した。

河回村の一角には、柳成龍の記念館があり、展示史料を見れば、彼がどのような人生を送ったか、知ることができる。この記念館の建物は、両班の邸宅のような重厚さがある。ドラマ『ファン・ジニ（黄真伊）』でもロケに使われている。

河回村から、それほど遠くない場所に、柳成龍の屏山書院（ピョンサンソウォン）がある。風水地理説から、選ばれたのだろう。屏風岩と川、砂地の河原、書院の瓦屋根の美しさ。ドラマ『チュノ〜推奴〜』をはじめ多くのドラマのロケ地になったと聞いた。

桜の頃や紅葉の頃、河回村、屏山書院は風情のある趣きを醸しだす。

柳成龍は激動の時代を生きた。秀吉の侵攻に遭遇し、国王を、国を守るために奔走する。それを描いたドラマが『チンビロク』である。チンビロクとは、漢字で懲毖録と書く。難しい字である。『詩経』にある、「予（われ）、それ懲（こ）りて、後の患（わざわい）を毖（つつし）む」からとってきた。その意味するところは、自分自身が以前に経験して懲りたことにてらして、後の災禍を予防するために毖む、となる。後の世の教訓として、書き残した書である。

この書には、秀吉軍の侵攻で、朝鮮がいかに被害を被ったか、各地から戦況が逐一入ってくる官僚の立場から、その様子を細かく描写している。当時を知る上で、貴重な歴史書である。

(2) 安東名家の祝祭。重厚な儀礼に驚く

かつて金誠一の宗家でもらった2枚のCDがある。1枚は、この名家の跡取りの婚礼が長々と撮影されていた。いかに両班の名家ともなると、格式を重んじるか。嫁いで来たお嫁さんに、大きな負荷がかかるのではないかと心配した。そんなビデオだった。韓流ツアーで、韓国内を長時間にわたって移動するときに、このCDを流したことがある。婚礼の場面だから、絵解きなしにも理解ができ、好評だった。もう一枚は「祝祭」とタイトルがうたれている。テレビ局（MBC）開局の節目にあたって、特別企画として制作され、全国放映されたドキュメンタリー番組だった。さすが儒教の国といわせるほど、先祖を敬う「孝」の精神が溢れていた。

金誠一は、どんな人物か。宣祖の時代の官僚である。安東の両班名家に生まれ、儒学の大家・李退渓一門のなかで、名をあげた。宰相として、宣祖を支えた柳成龍も同門の人である。順風満帆とみられていた金誠一は、秀吉の朝鮮侵略で転げ落ちる。というのは、中国に攻め入るので、道をあけろと朝鮮に申し入れた秀吉の真意を探りに、日本へ行き、秀吉に面会した金誠一は、帰国後の報告で、国王に秀吉は攻めてこないと伝えた。これが外れた。このため、降格処分となった。死罪は、柳成龍の助言で免れた。

先祖供養の祝祭を見る。両班家の建物は格式があり、敷地は広い。そこに子孫が続々と集まり、昔ながらの儒者の装いに身を変えて、定まった手順に従って祭祀を営む。準備から本番、裏山に眠る先祖の墓にお参りするフィナーレは壮観だった。邸宅の一角に宝物殿が構えられ、金誠一が当時、政界で重きをなしたことがうかがわれる国王からの手紙など、多くの史料が保管されている。

5年ほど前、韓流ツアーで安東を訪れたとき、知り合いの安東科学大学の金相圭（キムサンキュ）教授が、この両班名家に案内してくれた。そのとき、ご主人がわざわざ宝物殿にも入れてくれ、さらに2枚のCDもプレゼントしてくれた。

『街道をゆく8　種子島の道ほか』のなかに、司馬遼太郎はこう書いている。

　儒教は文明の秩序感覚として孝がある。孝は両親を対象とするだけの倫理ではなく、氏族・血族の長老に対

しても若者は孝順でなければならない。同時に過去の祖（おや）たちに対しても孝順であらねばならず。この言葉を彷彿とさせる光景が、ＣＤに収録されていた。

六、義　城

金仁謙（１７６４年の通信使・書記）の『日東壮遊歌』には、義城（ウィソン）が次のように出てくる。

●８月14日　安東→映湖楼→一直（イルチク）→義城

早暁に出立　映湖楼[*1]を見物し／流れを船で渡り　一直で馬の給餌をする／義城で宿泊

＊1　高麗の恭愍王（コンミンワン）がこの楼を訪ね、舟遊びをしてほめ称え、自ら名付けた

宿泊した義城。どんなところなのか。興味を持つが、記述はこれだけ、翌日には義興（ウィフン）、新寧（シンニョン）へと移動している。義城には、日朝の衣服に、一大革命を起こした綿花栽培で名を残す文益漸（ムンイクジョム）（１３２９〜１３９８）がいるのだが、彼に触れてもいない。寂しい気がする。そこで、文益漸について紹介したい。

綿花栽培が両国に拡がるきっかけは、１３００年代の高麗時代に生きた、或る人物によってもたらされた。文益漸が、その人である。慶尚北道の義城大里古墳から近い場所に、「文益漸先生」と刻まれた記念碑が立つ。その説明板に、次のようにある。

韓国綿作の始初は高麗恭愍王の代で、晋陽人（晋州）文益漸が元の国に使臣として行き、錦州城から木綿の種子を持ち帰り、この義城郡の地勢が錦州城によく似ていたので、金城面提梧洞に綿花を栽培した。１９０９年、地方有志たちの努力で記念碑を建て、１９３５年12月、現在地に移し、毎年綿花播植期に記念式が行なわれている。

文益漸は、高麗の文官で、元（中国）から綿の種子を持ち帰り、苦労の末に栽培に成功させた。しかし、ここ

に至るまで生死を賭けたドラマがあった。

書状官として使節に加わり、中国・元に渡り、順帝にも会う。順帝は高麗の奸臣の言に惑わされ、当時の高麗国王・恭愍王を廃して、新たな王を擁立する計画を立て、高麗を攻める。このとき、順帝は文益漸に恭愍王廃位に加担するよう促すが、文益漸は従わない。このため、彼は雲南省へ配流される。この潔さに元朝の諸臣は感嘆し、称えている。

帰国した文益漸は、恭愍王に労をねぎらわれるとともに、信任を得て昇進した。文益漸の名を上げたのは、帰国する際に、禁輪品であった綿の種子を持ち帰り、栽培に成功したことであった。これによって、衣服革命が起こった。

高麗が滅び、李成桂が建国した朝鮮王朝の世になると、文益漸は追い詰められる。李成桂が要請した官界復帰を拒絶した文益漸は黙して動じなかったが、李政権が進めようとした田制改革に反対して弾劾に遭い、死亡している。

文益漸は、民衆の生活に利する実践を行なった実学者のようである。彼の孫にも、その精神は受け継がれる。孫の文莱は、糸巻き器（糸車、ムルレという）を考案し、農家に広めた。彼は天文・地理・算数にも秀でていたという。

文益漸の号は、三憂堂。記念碑には「忠宣公富民侯　江城君三憂堂」という文字が、名前の上に刻まれている。江城とは、彼の生地・江城県をさす。

以上、徐萬基（ソマンギ）著『探訪　韓国陶窯址と史蹟』（成甲書房、１９８４年刊）を参考にして、まとめた。

【朝鮮通信使関連遺産】
●聞韶楼（ムンソル）＝餞別の宴で、双剣舞が行われた場所
●朴瑞生（パクソセン）の故郷＝１４２８年、朝鮮通信使の正使として、京都で足利義教将軍に謁見した

七、永川

一路、釜山を目指す朝鮮通信使の一行は途中、地方都市で饗応をうけた。その一つに、慶尚北道・永川がある。「ここは大都会である　前例通り饗宴を開き　観察使も親しく出席　各地からも大勢の者が集まった」と金仁謙の『日東壮遊歌』にはある。

宴席では歌舞もあり、華やかな雰囲気となる。さらにメーンイベントとして、馬上才の予行演習が行われる。3代将軍家光の要請で派遣が始まり、江戸で話題をさらった朝鮮ならではの技。永川では、めったに見れない曲技とあって群衆で埋まる。もてなしを受ける通信使高官は、高台にある朝陽閣（チョヤンガク）に居座って、野原で行われる馬上才を見下ろす。

正祖14（1790）年に描かれた『武藝図譜通志』を見ると、馬上才の演目は倒立、逆立ち、仰臥など9番あり、難しい技として2疋の馬を一人で走らせる双騎馬もある。その華麗な技に、群衆から歓声があがる。川岸の上に立つ朝陽閣からの眺めがさぞかし、と思う。

「目の前の広い野では　なめし革のように道をならし　格好良く走る馬で　馬上才の技を試される」「四方には見物人が　食べ物持参でひしめき集う　左右に広がっているが　何万人いるかわからない」

（『日東壮遊歌』より）

この朝陽閣で通信使高官は馬上才を見学

大変な賑わいである。これは現在も変わらないのではなかろうか。

朝鮮ならではの馬上の曲芸。だから、徳川将軍は、それ見たさに通信使とともに馬上才を江戸にまで誘致した。

3代将軍家光の希望により、1635(寛永12)年、2人の馬上才が来日して初めて演じた。

通信使の研究をする永川市役所の李元造（イウォンジョ）課長と永川に嫁いできた北陸出身の日本人女性の案内で、市の郊外にある駅舎を見学した。馬がつながれていた駅舎である。道を急ぐ役人らは、ここで馬を乗り替えて、次へと向かった。駅舎は、都と地方を繋ぐ紐帯役を果たした。さらには山々に設けた烽火台も、火急のとき役立った。「永川には、わが国でも有数の天体観測所があります」と市職員がいうので、熊本の清和村(現、山都町)を紹介した。人形浄瑠璃(文楽)で知られる山村である。姉妹提携にまで発展すればよいと思った。

永川で、名前を残す大きな人物は、鄭夢周（チョンモンジュ）のようである。高麗末期、混乱した国政を立て直そうと奮闘した儒学者だが、その名前を市職員から度々聞いた。永川には、鄭夢周を祀る臨皐書院（イムゴソウォン）があり、郷土の英雄として崇められているようだった。

【朝鮮通信使関連史跡】

- 朝陽閣＝餞別の宴と馬上才(馬の曲芸)を観覧して、楽しんだ場所
- 環碧亭（ファンビョクチョン）＝詩作を競ったり、妓生の歌や舞を楽しんだ場所
- 臨皐書院＝日本を訪ねたこともある高麗時代の儒学者、鄭夢周を祀った位牌堂

▽馬上才と鄭夢周の臨皐書院。永川観光の目玉に

「永川に行く。何を見るの。そんなところに行く観光客なんて、いないのじゃないの」。韓国の観光業者の間で、かわされた会話である。そんなところに我々は行った。ドラマを通して、朝鮮史を学ぶ韓流ファンの旅である。

泊まった大邱（テグ）から40分余りで永川に着く。朝霧がたち込めた市街地を切り割くように貸し切りバスは走る。着くころには霧も晴れ、琴湖江の川沿いに立つ楼閣、朝陽閣が現れた。江戸時代、日本に派遣された朝鮮通信使が、都の漢城から釜山に向かう途中、立ち寄り、馬上才の予行演習をしたところである。

永川（慶尚北道）の話を続ける。18世紀半ばの永川。ここも、城郭都市であり、古くは拠点都市として栄えていた。

清明なる朝、馬に給餌し、永川へ直行する　里は雄壮　いかにも広々として　ここは大都会である

（金仁謙著『日東壮遊歌』）

この地域が、朝陽閣のある一帯で、古地図には、東西南北の門をもつ城郭で描かれている。その内側には、衙舎、客舎、郷校、清原堂など建物が見える。現在、市街地になったものの、昔の面影を偲ぶ古建築が少ないながらも存在する。これを巡りながら、かつての栄華を思い浮かべるしかない。

秋になると、地方都市では秋祭りや芸術祭が開かれるが、永川もその例に漏れない。永川文化芸術祭が開かれ、古式ゆかしく通信使行列、餞別の宴、馬上才などを再現し、朝鮮王朝時代の賑わいを蘇えらせている。

馬上才を含め、朝鮮通信使の説明を、永川市職員の李元造課長がしてくれた。その道に関して、永川で最も詳しい方で、研究成果を朝鮮通信使学会で発表したり、共著で本にまとめている。

この方は、高麗王朝末期、高麗にこだわり、国政改革を通じて、国を再興しようとした圃隠鄭夢周（ポウン）の顕彰活動に取り組む人であった。市の文化芸術課長をしている関係もある。

事前に、李課長から圃隠の書院、臨皐書院の噂を耳にしていたので、当初の旅程にはない臨皐書院を見学した。行ってみて驚いたのは、書院の広さであり、圃隠を顕彰する地元の本格的な取り組みである。旅程の流れからいって、「20分ぐらいしか、見物する時間がありません」と案内してくれる李ウォンソク教学部長に伝えたところ、その短い時間に中身のぎっしり詰まった話をやってくれた。

資料館で圃隠について語る李ウォンソク教学部長の熱意溢れる姿、真摯に向き合う姿に感動した。

圃隠は高麗の都、開城の善竹橋の上で、李芳遠（イバンウォン）（のちの国王・太宗）の刺客によって殺害されたが、その橋も図面までとり、書院の一角に復元されていた。そのほか、広い敷地の書院に、じっくり見てみたい場所が随所にあ

る。

当初の予定を少しだけオーバーさせるだけで、見学を終え、次の探訪地、世界文化遺産の良洞（ヤンドン）民俗村に移動した。

永川に、何も見どころがないという観光業者がいたら、それは失格である。現場に立つことをまずは勧めたい。すると、そのような言葉も出なくなるであろう。

八、慶州

慶州は古い都である。新羅の風俗が色濃く刻まれている。それもそのはず、慶州は紀元前57年、朴赫居世（パクヒョックオセ）がこの盆地に王都を定めて以来、約1千年間、新羅の王都として続いた。一時、大邱に遷都する動きもあったが、実現しなかった。恐らくこれほど長く続いた王都は、世界史上、稀であろう（935年、新羅の敬順王（キョンスン）が高麗に国を譲り、滅亡）。

新羅という国号は、503年、第22代王・智証麻立干（チジョンマリプカン）4年に定めた。新羅の新は「徳業日新」から、羅は「網羅四方之民」から採用された。その意味は、王の行う重要事がますます新しく、四方すべてに及ぶということ。『魏志』韓伝には、辰韓に斯盧国（サロ）という国の名が見えるが、それが後の新羅である。当初、王都は徐那伐（ソナボル）、斯盧、始林（シリム）などと呼ばれていた。

朝鮮の歴史で初めて誕生した善徳女王（在位632〜647年）は、女ゆえに中国からも軽くみられた。統治能力があるのか、三国鼎立の時代をしのげるのか。それをはねのけるように、善徳女王は巨大かつ精巧な建築物をつくった。皇龍寺（ファンニョンサ）、九層の木塔、瞻星台（チョムソンデ）などが、それである。

これは対外政策をにらみ、仏教文化を高揚させるなかで、新羅の存在感をアピールしたものと思われる。

善徳女王の時代につくられた天文台、瞻星台

金仁謙（1764年、通信使・書記）は新羅の興亡を、こう振り返る。

瞻星台、鳳凰台（ポムファンデ）は、昔の姿をとどめ　半月城、鮑石亭は
荒涼として霧だけが立ちこめている　五陵に鳴く鳥よ
亡国の恨みをお前は知っているのか

亡国の恨みとは、高麗に政権を移譲して、実質、新羅が滅んだことを指しているのであろう。

いま原野に巨大建築の礎石だけしか残らない皇龍寺址。そこで40年前に発掘が始まったと聞いた。大きな考古学の発掘調査であったはずである。皇龍寺調査・研究の拠点となる文化センターが敷地内にある。

江戸時代、『鶏林唱和集』といった和綴本が盛んに出版された。「鶏林（ケリム）」とは新羅をさすが、広くは朝鮮を指していた。これは通信使と日本の儒学者との漢詩文の唱和集である。通信使は「文の国」の使節である。儒学や漢詩文にひかれる日本の儒学者たちは、通信使が来日すると客館に押しかけ、たいへんな賑わいであった。版元は、その一端を「唱和集」として出版し、市井の求めに応えたのである。

○慶州の歴史散策

(1) 韓国・途中下車の旅、善徳女王ゆかりの寺へ

旅は、目的地までの途中下車に、面白味がある。急ぐ必要がなければ、途中下車を楽しむ旅もいい。

実は、大邱の八公山（パルゴンサン）にある符印寺（プインサ）を訪ねようか、迷っているところである。三国時代、新羅の第27代王となった、女帝・善徳女王ゆかりの寺で、1000年以上にわたり善徳女王を慕う崇慕祭が続けられている。

2009年、韓国で人気を集めたドラマ『善徳女王』が、日本でも度々放映された。その善徳女王に対する研究者の評価は、定まっていない。「善徳は女だから政治力が劣っていた。だからその不十分な政治力を補強し、王権を強化するため、仏教にすがりついた。善徳は在位16年の間、寺院を創建したこと以外に成し遂げたものは何もない」。この意見に、そうだろうかと疑問を抱く。

三国のせめぎ合いが激しさを増す時代、善徳女王は金春秋（キムチュンチュ）（のちの太宗武烈王）、金庾信（キムユシン）に支えられ、国を守った。多方面から人材を集め、彼らの才能を見出していった善徳女王の人材登用術は、三国統一への基礎をつくった。その意味からも、善徳女王は存在感を示している。

なぜ慶州は1000年間にわたり、新羅の王都であったのか。仏教に負うところが大きいのではないか。南山を見れば分かる。慶州の南方に、数十の峰が林立した南山が広がる。東西13km、南北8kmにわたって白い花崗岩の岩肌が輝く。ここに40余りの石塔と60余りの石仏が散在する。仏教の聖地であることがわかる。統一新羅時代、ここには無数の寺が建ち、数千人の僧侶が経文を唱え、修業に励んだ。

韓国の文化史を大きく区分すると、古代は仏教、中世は儒教といえる。三国時代、新羅は国づくりに仏教を据えた。皇龍寺に九層塔を建てて、辺境の異民族を平らげようとしたのも、その現れである。高僧、一然（イリョン）（1206〜89）が編纂した『三国遺事』は、蒙古の侵攻で民族文化が破壊されていくさまを目撃し、失ってはならない遺産を整理してまとめた。その中心は新羅にあった。それほど新羅は民族心をあおった。

芬皇寺（プヌァンサ）の石塔。本来は九層の石塔だが、いま残るのは三層。近くで見ると、レンガの積み上げ方が見事である。この模塼石塔といわれる技法はシルクロードを渡って、中国経由で新羅に入ってきた。中国に修行に行っていた僧侶がその技術や様式を持ち帰ったもので、善徳女王がその建立を起用した。父・真平王（チンピョン）とは違った新しい統治スタイルを作りあげようとする姿が浮かび上がる。芬皇寺という名には、「香り高い皇帝の寺院」という意味が込められている。

(2) 皇龍寺の礎石と青垣。奈良に似た慶州

慶州の、いまは廃墟となった皇龍寺。その大きな礎石だけが残る原っぱに立ち、周囲の山野を眺めたとき、奈良にいるような錯覚を覚えた。大和青垣に似た風景が広がっていたからだ。

たたなづく青垣山ごもれる大和しうるはし　（古事記）

皇龍寺が焼失の難を逃れて、巨大な遺構が今日残っていたら、この広大な敷地に観光客が押し寄せていることと思う。皇龍寺の巨大な伽藍には、九層の木塔も立っていた。

『三国遺事』巻一「奇異」の項に次のようにある。高句麗の王が、新羅を攻めようとしたとき、こう言った。「新羅には三つの宝物があり攻められないとのことだが、それは何を指すのか」。左右に侍る臣下が答えた。「一つ目が皇龍寺の丈六尊像であり、二つ目がその寺にある九層木塔であり、さらに三つ目が真興王の天賜玉帯でございます」。それを聞いた高句麗王は新羅を攻撃する計画を中止した。

高句麗を恐れさせた、新羅の3つの宝物を簡単に説明する。

①皇龍寺＝新羅初期に創建され、当時の新羅仏教の中心的存在だったという。当時、皇龍寺の住持職には、上流階級である真骨の品階を出自とする者にその資格が与えられ、その中でも律師や国統など、仏教界の最高指導者的な僧侶にのみ継承された。

②九層木塔＝隣国9つの侵略をあらかじめ防ぐ目的で建てられたのが、皇龍寺の九層木塔である。645年に完成。その高さや規模で隣国を圧倒することであり、相手国を文化の面で圧倒する狙いもあった。この造営には、百済の職人・阿非知を招くことで、当時高い水準を誇っていた百済の技術を借りて完成させら

れた。高麗時代の高宗25（1238）年にモンゴル軍によって焼失されるまで、落雷による被害もあったが、6回にわたり修復されたと伝わる。

③天賜玉帯＝王の権威を象徴する腰帯。元々、腰帯は北方の遊牧民が腰に獣類の狩り道具をぶら下げていたことに由来する。一般的に宗教者の司祭やシャーマンは服に派手な飾りを付けるもので、当時の王が祭司長やシャーマンの役割を果たしていたことに鑑みれば、天賜玉帯は天が直接王に呪術的な権威を与えた証しである。

（キム・ヨンヒ著『善徳女王の真実』より）

善徳女王の御代には計10回の戦争があったが、特に後半期は、百済と高句麗に7回以上も侵攻され多くの城を奪われた。致命的な打撃であった。その中で新羅が先制攻撃をしたのは一度だけで、それも奪われた領土を取り戻すための攻撃であった。

九、蔚山

秀吉軍と朝鮮・明連合軍が、厳寒の冬のさなかに対峙した蔚山倭城。籠城した加藤清正は、飢餓地獄に苦しむが、援軍が包囲網を切り裂いたため脱出することができた。古くは塩浦と呼ばれた蔚山は日本と関係が深く、対日貿易の拠点（三浦の一つ）があり、日本人が滞在し倭館も存在していた。高麗末から朝鮮王朝初期（日本では室町時代）、倭寇が朝鮮半島沿岸、内陸部まで侵入し、略奪行為を働いた時代である。

対日外交官・李芸（イイエ）（1373〜1445。李藝とも書く）が活躍したのは、この頃である。蔚山に生まれ育ち、8歳のとき、母親を倭寇に拉致される悲劇に遭遇した。その経験が人生を大きく左右し、倭寇対策に取り組む外交官の道を歩み出す。地方の役人から漢城で活躍する官僚にまで出世したサクセスストーリーの持ち主である。

李芸は73歳で亡くなるが、その間、来日は40数回、約700人の母国人を連れ戻した。このほか、日本の水車の技法、商店街の仕組み、砲術、船舶の製造法などを朝鮮に伝えた。日本を蔑視せず、社会に役立つものがあれば持ち帰った。70歳を過ぎても、李芸は対馬へ渡海している。驚くばかりの胆力と体力の持ち主であった。

韓国では、始祖を称える末裔たちの結束力が強い。李芸も例外でなく、蔚山市内には石渓書院（ソクゲソウォン）が整備され、その中に李芸の肖像画を安置した祠堂もある。ここを日本の学生が訪れている。その一部は、李芸の生涯を描いた日韓合作映画『李芸――最初の朝鮮通信使』（監督・乾弘明、82分）でも紹介された。李芸が通信使正使として、足利将軍を訪ねる京都までの歴史紀行。ナビゲーターを韓流スターのユン・テヨンが務め、話題を呼んだ。

蔚山に入った通信使一行は、日本への出航拠点である東萊、釜山が近づき、気もそぞろ。国内最終の目的地へ、気を引き締める。朝鮮通信使は江戸時代、日本民衆を沸かせた「韓流の元祖」といえよう。ただし、通信使は、李芸に代表されるように室町時代にも来日していた。蔚山は、室町の通信使を知る上では最適である。李芸の出身地であるため、史料と史跡がよく整備されている。蔚山博物館で見学した後、李芸ゆかりの史跡、石渓書院を訪ねるコースを勧めたい。

▽李芸の石渓書院と子孫の長老

加藤清正の縁で、熊本市と姉妹提携を結ぶ蔚山市。市の韓日親善協会会長を務めたのは、李芸の子孫・李秉稷（イビョンジク）さんである。市職員を長く務め、熊本市をはじめ日本との友好親善に尽力した。映画『李芸――最初の朝鮮通信使』には、蔚山市郊外にある石渓書院で、日本の学生を相手に語る姿が出てくる。

石渓書院は、風水地理説で「気が満ち、子孫が繁栄する」といわれる吉相の地にある。川のそばに立地し、屛風を見るような岩山が川に沿ってそそり立つ。朝鮮通信使研究部会のフィールドワーク、21世紀の朝鮮通信使・日韓友情ウォークなど、何度か訪れる機会があり、その度ごとに清々しい気を感じた。

築地塀で取り巻かれた書院の中には、講堂、李芸を祀る廟などがあり、春秋の祭祀には、全国から子孫が集まる。塀の外に立つ、李芸の功績を刻んだ顕彰碑を拝み、書院に入るが、その石碑は地に亀、上には龍が躍る見事なものである。

李秉稷さんの誇りは、始祖李芸が外交官として、日朝両国を繋いだ外交力である。始祖の善隣友好の精神を継承して、市民交流に尽くした。しかし、後継者不足を嘆き、こう話す。

国際交流には、言語の習得が欠かせないですね。それが最近では、日本語を学ぼうとする気風が衰えています。それを、私は心配しています。お互いの関係を深めるためには、言語の力が大きいですよ

蔚山、釜山、福岡でも李秉稷氏と会って話す機会があったが、語学の達人で対馬藩の外交官・雨森芳洲を例にあげて、言語の重要性を強調していた姿が忘れられない。

石渓書院について。歴史を遡れば、英祖（朝鮮王朝第21代王）の時代に、書院建立運動が行われ、祠が建てられた。その後、移築して整備されたものの、興宣大院君（フンソンテウォングン）による撤廃に巻き込まれる。子孫が、蔚山の儒者たちの協力を得て『鶴坡（ハクパ）先生実記』を刊行し、復興の道筋をつけている。実記には、地域における家門・鶴城李氏（ハクソンイシ）の存在感の大きさがにじみ出ている。

蔚山の石渓書院にある
「忠粛公李藝先生事蹟碑」

蔚山で、李芸を始祖と仰ぐ鶴城李氏は、名門として知られる。市内の公園には李芸の銅像が立ち、二休亭と石渓書院が観光名所にもなっている。二休亭は、朝鮮王朝時代に顕官だった子孫の邸宅で、伝統建築群が見事である。李芸顕彰事業の拠点にもなっている。

その整備を進めたのが、李秉稷さんをはじめ、李昌烈（イチャンヨル）（財閥サムソン重役）、李明勲（イミョンフン）（高麗大学教授）両氏ら多彩

な人材を擁する一門である。２０１７年１月、李秉稷さんは鬼籍の人となったが、顕彰運動は後継によってさらに進展し、最近では李芸のミュージカルも創作されている。

十、東　萊

通信使一行の東萊入りは、大変賑やかである。隊列を組んで進む行列を見ようと、沿道には人垣ができている。祝砲（三穴砲）も打たれ、耳目が一気にここに集まる。

賑々しい笛や太鼓の音が　山々を揺るがし／おびただしい数の斧鉞（ふえつ）、旗、幟（のぼり）が　天を覆っている／連なる荷駄の列は　六里にも及び／王の行幸を除けば　比べるものはないだろう／見物の老若男女は　十万を数える

（金仁謙の『日東壮遊歌』より）

朝鮮王朝時代、釜山の中心地は、東萊であり、集落に取り巻かれるように役所や市場などがあった。城壁に囲まれた街である。

東萊商人に代表されるように、朝鮮国内でも有力商人がいた地域である。日本とも対馬藩を通じて、商売していた関係で、他の地域、他の商団とは違った商品を扱っていた。その片鱗は、慶州崔氏を扱った歴史ドラマ『名家（ミョンガ）』で紹介されているし、済州島を舞台にしたドラマ『金萬徳（キムマンドク）』では、正祖（第22代王）の時代における、全国の朝鮮商人の版図が明かされている。

東軒の周辺に市場が形成されている。なかなか、広い。買い物客も多く、活気を感じられた。歩いていて、宋公壇に出くわした。立派な築地塀で囲まれた史跡であることはすぐわかった。秀吉の朝鮮侵略で、戦死した東萊府使、宋象賢（ソンサンヒョン）と義士を祀ったところである。中に入ると、宋象賢の大きな事績碑があり、さらに行くと数基の墓碑が並んでいた。市場のわきにある割には、門を入ると、別世界のように静かであった。

宋象賢は１５９１（宣祖24）年、慶尚道東萊府使となった。翌92年4月、壬辰倭乱が勃発すると、他の将軍や官僚が逃亡する中で東萊城にとどまり抗戦を指揮した。小西行長らの「戦則戦矣不戦則仮我道」（対抗したければ対抗しろ。それとも道を退くか）という降伏勧告に対して「戦死易仮道難」（戦死するは易し、道を仮すは難し）と返書して拒否し、戦死した（東萊城の戦い）。落城後、旧交のあった宗義智の家臣柳川調信は宋象賢を悼む碑を建てて弔った。

最後に東軒をみたが、敷地がぐっと広くなり、まだ完成したばかりの望楼など、役所の建物が数棟再現されていた。古くからある忠信堂に入り、昔の様子を伝えるミニチュア模型や写真資料で、当時を偲ぶことができる。やはり、東軒の周辺の市場は今以上のにぎわいである。

朝鮮政府の出先機関、東萊府東軒

敷地の一角に、東萊府使を務めた役人の「徳善政碑」が4基ほど立っていた。自らの功績を自らが建立して、後世に残そうとした自意識過剰ともいえる顕彰碑は韓国には数多く残っている。帰路、市場で餅を買い、それを地下鉄駅のすぐそばを流れる河川敷で食べた。河川敷といっても、側溝のようなところである。壁面を見ると、朝鮮通信使行列が描かれている。

都・漢城を出た、通信使一行は東萊まで約５００㎞の道程の間に5、6カ所で役人から盛大な接待を受けた。東萊に入るときは、祝砲は打ち上げられ、沿道は押すな押すなの人垣だった。壁面に描かれた行列絵巻をみていると、その歓声が聞こえてきそうだ。

▽東萊の春。野遊の仮面劇で、憂さ晴らし

釜山の春。祭りが目白押し。朝鮮通信使祭り、東萊の野遊（仮面劇、鶴舞）など。その中でも、東萊がいい。ここは朝鮮王朝時代、官衙（役所）があった。東萊は、古くから釜山の中心地だった。東軒、忠烈祀（義士の祠）、郷校（儒教の学校）など史跡も多い。福泉（ボクチョン）博物館の背後に、昔築かれた城壁が整備され、市民の散策コースになっている。城壁の北門に上がり、市街地を見渡した。東萊は本来、城壁の町で、外敵の侵入を阻む堅固な造りであったことが分かった。

街中にこんもり茂った丘陵があり、そこに法輪寺というお寺があるが、ここの石塔が見事であったし、山門にある四天王は木彫ではなく絵画で、壁面に色彩鮮やかに描かれていた。法輪寺は、東軒から近い。

法輪寺から近い福泉洞古墳に登ったが、市内を眺望できる高台にあり、眺めがよかった。そこへ上る道、初めて桐の木を見た。藤色をしたラッパの花をたくさん付けている。幹は太くないが、10ｍを超えるほど高い。地面には実がこぼれ落ちていた。

東萊に何度か行き、福泉洞古墳群の出土品を陳列する福泉博物館も入って見物したが、鉄製甲冑や馬具などを通して、加耶諸国や日本との交流について学べた。この古墳群は韓国内で鎧がもっとも多く出土したことで知られる。

東萊には、身近なところに山もある。ロープウェイで登る金剛公園は市民に人気のようで、街なかにもハイカーの姿があちこちで見掛けられた。

東軒の周辺には、市場が取り巻くようにある。よそと違い山菜やキノコ、韓方薬を売る店が多いのは、山が近いからなのだろう。海のそばにあるチャガルチを歩いた人には、新鮮な気持ちで捉えられる場所である。

春の釜山といえば、野遊会を思い出す。韓日友好交流会のメンバーに誘われて、1泊2日で出掛けた密陽の野遊会は楽しかった。歌舞あり、ゲームあり、軽いスポーツあり……。アリランの本場である密陽だからであろう、

宴のなかで密陽アリランを歌う女性もいた。

野遊は、トゥルノリといい、またプルノリ（草宴）ともいわれる。本来は農耕社会の哀歓をつづる野遊びである。古く三国時代より、人々は連れ立って郊外や山間部に入り、飲み食いし、歌舞を楽しんで憂さを晴らした。

朝鮮王朝時代、嫁入りは、嫁ぎ先に一種の労働力を提供することを意味していた。嫁いだ後、娘は実家の母と会うことは困難だった。ただ、夏の農閑期を利用して、お互いが住む中間地点で御馳走を携えて出会い、暫しの野遊を楽しんだという。

これは他家に奉公する作男たちにも、見られた。主人が便宜をはかり、野遊を勧めた。作男たちは、飲み食いしながら、農楽を奏で歌を歌っては、両班を罵倒しながら、憂さを晴らした。主人も、これを大目に見ていたらしい。

野遊は、韓国のよき伝統である。お互いを知るいい機会であり、新しい人と出会う楽しみもある。

十一、釜　山

釜山港は埋め立てで、往時の姿を大きく変えてしまった。江戸時代、龍頭山（ヨンドサン）公園の周辺に対馬藩士が交代で４００人から５００人も詰めていた「草梁倭館」があった。ここで、朝鮮側の東萊府役人と対馬藩が外交交渉を行う一方、貿易実務も行った。その面積は約10万坪。長崎・出島の25倍という広大さ。建物は日本と朝鮮の大工、左官らの共同作業で１６７８年、３年がかりで完成した。東面５６０ｍ、西面４５０ｍ、北面５８０ｍ、南面７５０ｍ。

東西で比べると、東側には館守屋（家）、開市大庁（私貿易会所）、裁判（さいはん）（外交交渉官）屋があった。西側は客館としての建物を揃えており、短期の滞在者が多かった。草梁倭館は周囲を塀で囲み、見張り番人もいた。北面には宴席門があり、応接所で開催される定例の儀式に出席するために、使節が用いた。

倭館に住む藩士らの食事は、東門の前に立つ朝市で購入していた。食事の基本は、1汁3菜。身分の高い役人には、専門の料理人がつくった。対馬藩士と朝鮮人が日常、気軽に交わることを遮った。解放すれば、喧嘩や殺傷沙汰が発生し、藩士のなかには朝鮮の女性と懇ろになり、子どもを孕ませる人士も出たからだ。禁令は石碑に刻まれて、厳しく告げられた（石碑は現在、釜山市立博物館の脇に立つ）。

倭館では、館守日記が毎日書かれ、1日ごとの出来事を丹念に記録した。そこには窃盗、殺人事件も記されている。人参の密貿易で命を落とす人もおり、女性問題を起こして処罰された記事も出てくる。

江戸中期、対馬藩の朝鮮方佐役として雨森芳洲、後期には芳洲がつくった韓語司（通訳官養成学校）を出た小田幾五郎が倭館に勤めた。小田幾五郎は、芳洲と並ぶ朝鮮通で、公文書や日記はもとより、春香伝の写本までつくっている。その文書は対馬・美津島の大浦家に所蔵されている。

通信使は出航前、この永嘉台で海神祭を行った

◎永嘉台の由来と歴史

永嘉台は、慶尚道巡察使の権盼（1564〜1631）が1614年に建てた。釜山鎮城前の浦口に船着き場を築造する際に、汲み上げた土砂でつくった丘のような接岸地であるが、その上に永嘉台を建てた。永嘉という名称は、権盼の故郷・安東の古い地名である永嘉からとったといわれる。

その姿について、通信使の絵師・李聖麟が1748年に描いた釜山港図に詳細に描いている。永嘉台は、日韓の外交史を証言する重要な史跡である。通信使が日本へ船出する前、ここで「海神祭」が行われた。また、通信使一行を迎えるために来た日本の迎聘参判使が初めて足を踏み入れた場所でもある。

韓国では、サツマイモをコグマという。これは、対馬の孝行芋が訛った言葉である。凶作、不作のとき、サツマイモは役立つ救荒作物である。日本伝来は薩摩の地で、唐藷(からいも)といわれた。対馬には自生していなかった。対馬の農政学者、陶山訥庵(すやまとつあん)から、そのような話を聞いた原田三郎右衛門は、薩摩に2度潜入して種、生根を仕入れ、対馬への移植に成功する。栽培にも余り手がとられず、食糧難の時に役立つということから、孝行芋と呼んだ。対馬で一般的なこの名称が江戸時代、１７６４年の朝鮮通信使によって朝鮮に持ち帰られ、コグマといわれる。その橋渡しをしたのが、正使の趙曮(チョウム)だった。

釜山市・影島(ヨンド)に、それを伝える歴史公園があり、コグマを籠に背負った男性のブロンズ像が立つ。そばには馬の像もある。

この話を、写真家・仁位孝雄さん（長崎市在住）から聞いた。実際、現地を訪れて撮影した写真を見せてもらった。「影島の山頂にあります」。ネットで調べると、いわれるように高台に設置されている。影島のチョネギとい う場所で栽培されたので、最初はチョネギコグマといわれたそうである。影島区では、サツマイモ歴史公園を設立し、韓国でその発祥の地として国内外にアピールしている。

江戸時代、朝鮮通信使が計12回、漢城と江戸（東京）の間を往復した。その外交使節がもたらしたなかに、民衆のためになる作物があった。

【朝鮮通信使関連史跡】

- 海雲台(ヘウンデ)、没雲台(モルンデ)、太宗台(テジョンデ)＝釜山滞在中の通信使高官が、無聊を晴らすため遊覧した名勝地
- 忠烈祀＝秀吉軍と戦って亡くなった軍民を祀る位牌堂
- 龍頭山公園一帯＝対朝鮮外交の拠点、草梁倭館があった場所。公園の一角に、案内板が立つ。日本の在外公

館だった。

【資料館&博物館】

- 朝鮮通信使歴史館=永嘉台に隣接した形で、設置された朝鮮通信使の資料館であり、学習館。ジオラマを駆使しながら、通信使が体感できるように工夫されている。
- 釜山市立博物館=近世の日朝交流史の展示が充実。
- 釜山近代博物館=近代の釜山の変遷を、豊富な資料を駆使して描いている。植民統治時代の釜山の街を一部再現した立体展示もよくできている。

○釜山の歴史散策

(1) 朝鮮人に評判、倭館の料理は？

江戸時代、釜山の草梁倭館（現、龍頭山公園の一帯）には対馬藩士など約500人が外交業務、貿易に従事していた。四方を塀で囲まれた10万坪（出島の25倍）の日本人町は、東向寺や金比羅神社などの社寺仏閣もあり、日本の四季折々の風習が営まれた。毎朝、東門の前にでる朝市で食材を購入し、高官には腕のいい料理人が毎日作って出した。対馬藩士が朝鮮料理に接するのは外交儀礼のときの饗応料理で、日本料理と違うところは、牛や豚といった動物の肉を食材に使うかどうかにあった。牛の肉は朝鮮人にとっては好物であったが、日本人は好まない。牛肉の味に目覚める人もいたが、少数派であった。

日本の料理は「味が薄く淡白」「さっぱりしすぎている」というのが朝鮮人の評価だが、杉焼料理は違った。草梁倭館で、朝鮮人が好む評判のメニューだった。杉焼は2種類ある。杉箱焼と杉板焼。どちらも杉の移り香を賞味しながら食べる。材料はタイ、アワビ、卵の3種を定番に、揚豆腐、柚（ゆず）を加え、これにいろんな野菜を入れる。ネギ、せり、なす、里いもなど、野菜は10余種にものぼる。杉箱焼は、味噌をだし汁でといた杉箱に、これらを入れて煮るもの。杉板焼は杉板の上に載せて焼いたもの。杉焼は味噌風味だが、これも朝鮮人の味覚にはあったらしい。

草梁倭館に長く勤めた江戸後期の通事、小田幾五郎の『通訳酬酢』には、次のように書かれている。

杉焼は府使に限らず、都から下ってこられた両班の方々もお好みになられ、「日本の味噌の味わいがよろしい」と申されておられるとか。

（田代和生『倭館』文春新書より）

杉焼も、大きくとらえると鍋料理の一種。鍋料理は韓国のチゲ鍋、博多のモツ鍋、対馬のいりやき料理（寄せ鍋）など、その土地にしかない食材を使った地産地消の味で、個性的である。また、遠く離れた土地でも、共通性が見られる。例えば、対馬のいりやき料理は中国・貴州省のミャオ族の鍋料理と似ているといわれる。そもそも、いりやき料理は、熱湯の入った鍋に魚、かしわを煮立たせ、醬油、砂糖、酒、塩などで味をつけた後、次々と野菜をいれて食べる。その後にそばやそうめんを入れる。

対馬名物の鍋料理には、草梁倭館の頃の味が、どこかに生きているのかも知れない。鍋料理に国境はない。最も手頃で、素朴な味だからと思う。

⑵　釜山の刻まれた「日朝の光と影」

日韓の光と影が、釜山には今も厳然と残る。龍頭山公園に上ると李舜臣将軍の大きな銅像、東萊には戦死した武官たちの忠烈祠、市立博物館には当時の史料が数多く展示されている。さらに、凡一周辺には、上陸した秀吉軍と最初に戦った釜山鎮支城跡（俗に子城台ともいう）が残っている。

市場を離れて南側に向かうと、釜山鎮支城跡の西門が現れる。朝鮮式の城門である。というのは、城を落とした秀吉軍が駐屯するとつくり変えた。さらに明（中国軍）が入ってくるとそれを宿舎代わりに使った。さらに植民地時代には、日本が市街地を拡張するため、埋め立て工事をしたため、昔の姿が残らなかった。１９７４年に東門、西門、将台を新築して、昔の姿に近づけた。

西門の入口の左手に「南徼咽喉」、右側に「西門鎖鑰」の石碑が立つ。「ここは国の眼に当たる南側の徼（国境）」「西門は国の錠と同じだ」という意味がある。秀吉軍を大きく警戒した、時代の空気を伝える意味を込め、戦後に建てられた。門を抜けて、城内を登っていくと。日本式の石垣が見える。2カ所だけきれいに残っている。上り詰めると、港を一望できる位置に二層の楼閣が優美な姿を見せる。

元来、城内には、東軒をはじめ多くの役所の建物が立ち、倉庫や客舎もあった。もちろん、今はなく、あるのは楼閣とその手前に、明（中国）の将軍、千萬里の後孫たちが建てた記念碑と碑閣が当時の様子を伝えるように立つ。

城跡を反対側に下ると、永嘉台が現れる。近年、5月の朝鮮通信使祭りのとき、古式にのっとり海神祭が再現されている。以前、低層の楼閣に「永嘉台」と大書した扁額が掛かっていたが、外されて消えてしまっていた。

永嘉台に隣接して朝鮮通信使歴史館が立つ。2階建てで、通信使の歴史をまとめた映像（15分程度）鑑賞、旅程をたどるジオラマや、通信使船の縮小模型や馬上才（曲芸）の様子などを通して、江戸時代の日朝交流史を再現している。ここは、小・中学生の校外学習の場でもある。

帰路、歩いて最寄りの凡一駅に向かう。駅周辺に広がる釜山鎮市場には、買い物客も多い。庶民の街というか、歩いていると、心温まる場所であった。

(3) 金井山山頂を歩く

ロープウェイに乗ろう、気分転換に。そう思い、金井山山頂（クムジョンサン）に登って来た。山頂に着き、1時間半、黙々と歩いた。大きな岩が点在する松林の中を歩き、気分よくしていると、カセットを腰に、演歌を流しながら歩く中高年の男女がいる。さらに歩いていくと、岩の上で〝宴会〟するグループ、南門の麓の方から、球技で汗を流し、食べ飲む人たちのにぎやかな声が響いてくる。一瞬、ここは山なのか、と思うほどである。

金井山には18・845kmにわたり、城壁が続く。山城である。壬辰倭乱（秀吉の朝鮮侵略）と丙子胡乱（中国・清の侵攻）で得た教訓から、粛宗（第19代王）の1703年に、防備を強化するため築造された。国内最大規模の山城である。倭寇の侵攻を防ぐため、すでに原形はあったようである。

頂きから麓に下って、南門を見て、また山頂をめざす。遠回りをして、城壁が切れた、その先の見張り台のような場所に立つと、眺望がきいて、気持ちが晴れ晴れする。汗をかいた、その甲斐があった。

次回は、ロープウェイを降りて、1時間かけて金井山城の東門、さらに1時間かけて北門を目指そうと思う。そこから梵魚寺（ポモサ）へと向かう帰路をとればいい。総距離7km超、数時間をかけて踏破したい。

釜山は、身近に海と山があって、なかなかいい。金剛公園は、朝鮮通信使研究で知られる釜慶大の朴花珍（パクファジン）先生に案内され、壬辰倭乱（秀吉の朝鮮侵略）で亡くなった武官を祀る石碑を見たことがある。金剛公園に着く前、門前町のような雰囲気の通りを歩く。そのとき、朴先生と歩いた感覚が一瞬、蘇った。

朴先生とは車で来たが、今回は地下鉄1号線「温泉場」駅で下車。公園まで20分ほどでたどり着いた。ロープウェイで金井山山頂まで10分ほど。眼下に広がる街の景色のなかに、サッカー競技場が一際、目を引いた。2002年W杯日韓共催で使われた競技場である。山は韓国特有の岩肌があちこちに広がっていた。

下山して、温泉場駅周辺を歩いた。ホテル農心に出合う。格式のあるホテルのようである。ここの木陰のベンチで足を休め、近くの足湯でさらに疲れをほぐした。ここは中高年のたまり場になっており、にぎやかな話し声を聞きながら、しばらく過ごした。

(4) 釜山大学総長の先祖に、通信使の能書官あり

福岡に住む韓国人の友人から声がかかり、釜山大学の全虎煥（チョンホファン）総長の講演を聴いた（2019年3月のこと）。講演

時間は1時間ほど。なのに、スケールが大きい。宇宙、地球誕生、人類発展の歴史、戦争と平和、南北問題、日韓交流とつづく。最後のマイライフヒストリーになって、先祖の話を始めたが、これが一番身近に感じた。

意外や朝鮮通信使の話が出て来たからだ。なんと、12代前の先祖が、1636年、第4次の通信使として来日している。能書官の全榮(チョンヒョン)（1609〜1660、号：斗岩(トアム)）である。日本使行録『海槎日記』を残している。ただ、残念ながら2カ月間以外の記録が欠落しているという。全榮の本貫は、陜川(ハプチョン)全氏であり、その原本は陜川郡にある直系子孫の古宅に保存されている。

斗岩（全榮）は能書官といわれるように、詩と書道に大変長け、日本滞在中に請われて数多くの詩を伝えている。話を聞いていて、もしかしたら通信使ゆかりの寺院に拓本か詩が残っているかも知れないと思った。

斗岩の祖父は、「陜川草渓の義兵長として活躍した濯渓公」、斗岩の父は「領議政を務めた鄭仁弘の弟子で、義兵を起こした功労を称えられ司畜署別提に任命された睡足堂・全雨」だった。これは釜山文化財団発行の『朝鮮通信使』2018年夏号の巻頭コラム（全虎煥氏の執筆）から引用した。義兵長とは、秀吉の朝鮮侵略で民兵を集めて戦った指導者ということになろうか。

全氏に本貫は異なるが、完山全氏がいる。この一族が保管している『儒教冊版』114巻が、通信使よりも早く2015年10月10日に世界記憶遺産に登録されている。『儒教冊版』は、国家レベルで製作された八万大蔵経や朝鮮王朝実録と異なり、「各地域の知識人らが時代を異にしながら作った集団知性の産物」（巻頭コラムより）と全虎煥総長は指摘する。

集団知性を、全総長は重視する。何故か。「『賢い個人より、力を合わせる大勢の知性』であるから合理的で発展性がある」（巻頭コラムより）というのである。集団知性が日韓、東北アジアの繁栄、平和へと結びつくというふうに、全総長は「共につくり未来」へと押し広げて考える。

だからなのか、鳩山由紀夫・元総理の東アジア共同体構想に共鳴し、釜山大学は名誉博士号を授与している。

「日本での鳩山元総理の噂は知っていますが」と断わっていたが、これが講演のとき大画面に映し出された。慶尚道の名門大がそこまで踏み込んでいるのかと驚いた。

十二、密　陽

密陽アリランフェスティバルが、毎年5月10日前後に開催されている。韓国三大アリランの一つ、密陽アリランを堪能できる祭りである。川沿いに立つ嶺南楼の近くに東軒という朝鮮王朝時代の役所跡がある。嶺南楼のすぐそばに密陽アリランの歌碑も立つし、その上に向かって階段を登ると、松雲大師（1544〜1610、四溟堂惟政）の銅像がそびえている。見上げるばかりに大きな銅像であった。密陽出身の松雲大師である。

郊外には、松雲大師が修行した表忠寺（ピョチュンサ）がある。松雲大師は、秀吉軍との戦いで、義僧兵の総指揮官を務めた。講和交渉にも一役買った。徳川家康が通信使派遣を要請したときには、探賊僧として、対馬を経て京都まで行っている。

密陽にある、
松雲大師ゆかりの表忠寺の石塔

日本から帰国して釜山に到着した朝鮮通信使。彼らがたどる釜山から都・漢城に向かう「上行路」は、漢城から釜山に向かう「下行路」のように固定していなかった。「通信使が戻るときは、三使（正使、副使、従事官）が道を別にする」という記録がある。つまり、3つのルートに分かれて、漢城の王宮に向かった。それによると、密陽は中路に位置し、通信使のトップである正使が、都に向かって北上した道であった。申維翰（1719年の通信使・製述官）にとって、密陽は先祖の地である。往復路とも立ち寄って、旧知と再会し、先祖の墓に参っている。

◎申維翰、密陽に生家跡

1719（享保4）年、朝鮮通信使の製述官として来日した申維翰は、名作として評判の高い日本使行録『海游録』を残している。申維翰は1681年生まれ、没年は不詳。号を青泉といった。慶尚北道高霊の人で、1713（粛宗39）年に科挙試験の文科（丙科）に及第した。彼は詩文を能くし、文集として『青泉集』などがある。官職は、従4品の奉尚寺どまりだった。奉尚寺は国家の祭祀や謚号を管掌する官庁であった。彼は官職に恵まれなかった。それは庶子出身（妾子）であったからだ。朝鮮王朝時代、同じ両班の子弟であっても、嫡庶間の差別がきびしく、庶子出身は、ほとんど科挙試験に応募することさえ許されなかった。一時期それが許され、それに申維翰は応試した。しかし、その官品は厳しく制限されていた。『海游録』にも一身上の不遇を嘆くところが散在している。

【朝鮮通信使関連史跡】

- 嶺南楼（ヨンナムル）＝通信使一行が宿泊した場所。ここで詩を作って楽しんだ
- 表忠寺＝家康と伏見で会談し、通信使派遣要請の意図を探った外交僧、松雲大師が修行をした名刹

▽**松雲大師——汗をかく石碑**

密陽に、表忠寺がある。秀吉の朝鮮侵略で戦い、外交僧として活躍した松雲大師（四溟堂惟政）の寺である。松雲大師は大柄な人だったようだ。宝物館で見た法衣が、それを物語っていた。大人2人をすっぽり包むような大きな法衣であった。松雲大師を思い出したのは、彼を称える顕彰碑は、国に一大事があると、「大師のように汗をかく」といわれ、信じられている。「そんなこと、ありえない」と普通思うが、それは実際起こる、見たことがあ

るという韓国人がいるというのである。理性を超えた摩訶不思議の世界。神通力もその一つである。松雲大師は、その超能力を備えていたのか。韓国には、この種の逸話が多くある。預言書が多いのも、この国の特徴である。光海君（第15代王）の時代、重臣・許筠（ホギュン）が書いたハングル古典小説『洪吉童伝（ホンギルトン）』を御存じだろうか。主人公・洪吉童は庶子として生まれ、差別に泣いた彼は家を捨てて義賊の頭領となり、悪政をあばき、堕落した行政官を懲らしめる物語である。この洪吉童は神通力の持ち主で、その力で幾多の困難を乗り越え、民衆を搾取する役人を襲い、盗んだ食糧などを民衆に施す。日本でいえば、石川五右衛門（安土桃山時代）や鼠小僧次郎吉（江戸後期）に相当するのだろうか。しかし、彼らには、神通力はないはず。

洪吉童は光海君の時代に小説になるが、それ以前から義賊の頭領として、洪吉童の存在は知られていた。光海君から5代さかのぼる燕山君（第10代王）の時代に、宮廷に洪吉童が現れたという記述がある。義賊を民衆が渇望するのは、もっぱら困窮した暗黒の時代である。悪政によって被る地獄の苦しみから解放されたいという思いが、義賊の活躍に託される。さらには、政変による新しい世の到来を願うといった、期待感も醸成される。

朝鮮王朝を揺るがした予言の書『鄭鑑録（チョンガンノク）』も、それに該当する。李氏の王朝が、真人（鄭氏）によって滅び、新しい王朝が開かれるという物語が描かれている。当然ながら、国政を混乱させる恐れありとして、禁書とされ、弾圧の対象となった。

義賊が跳梁跋扈し、予言書などがクローズアップされる時代は、暗雲で覆われた社会といえる。そのような社会を作り出すのは、根本的には人であることはいうまでもない。

十三、友鹿洞

慶尚道・大邱の友鹿里（ウロクリ）から度々来日する金在徳（キムジェトク）さんを紹介してくれたのは、大阪の辛基秀先生である。「鹿洞書（ノクトンソ）

沙也可の里、友鹿洞にある鹿洞書院

院（ウォン）一帯を整備して、韓日友好の拠点にしようとしています。その趣旨を訴え、募金運動をしている金在徳さんの力になってください」。元教師で、日本語が堪能な方であった。福岡に来ると、古賀市の松崎家に泊まることがあり、夫人の直子さんからも、その話は聞いていた。

金在徳さんは、始祖・沙也可（さやか）から数えて、第14代目の子孫。沙也可は秀吉の朝鮮侵略の折、加藤清正の鉄砲隊長として出兵した武将だが、儒教思想に惹かれ、部下ともども朝鮮側に転じた。

司馬遼太郎の『街道をゆく2　韓のくに紀行』（朝日文庫）で紹介されている。最初に、その存在を日本に発信したのは、東京新聞の記者と聞いている。

その友鹿洞を初めて訪ねたのは、日韓の募金運動で集まった浄財を活用して、すでに書院一帯の整備が終わり、韓日友好館が完成した後だった。

金海金氏の一家を中心に約２５０世帯は住むという、小さな村である。降倭といって、元日本人らが山野を開墾して開いた村で、その山野、田畑に司馬は倭人の風を感じている。

韓国独特の低い築地塀に囲まれた中に、鹿洞書院、鹿洞祠がある。塀を抜けた、その奥には墓所があり、左手に行くと忠節館があった。

青少年の歴史教育の場になっている韓日友好館で、朝鮮に転じた後の沙也可の活躍の模様を史料でたどることができる。彼の人生は戦いの連続である。秀吉軍と戦い、戦後は、丁卯・丙子胡乱という後金・清の侵攻に参戦する。内乱、李适（イグァル）の乱でも戦功をあげ、国王・宣祖から金忠善（キムチュンソン）という誉れある名を授かる。次に即位した光海君の時代には正憲大夫という官位を下賜されている。

忠烈館で、漢文で書かれた貴重な文書『慕夏堂文集』を見た。慕夏堂とは沙也可の号であり、この文集は本人が書いたというが、六代のちの子孫の筆によるものらしい。

この文集は植民地時代、日朝友好の歴史が隠蔽されたことから、表にでることはなかった。戦後になって光があたり、公になるという試練を経ている。

金忠善将軍の偉業を称え、位牌を祀る鹿洞書院も、そうである。第22代王・正祖の時代に完成したが、1864年、興宣大院君の書院撤廃令により閉鎖される憂き目に遭っている。再建は、その21年後である。

鹿洞書院では、春と秋に祭祀が行われているが、これには、和歌山の代表も参加しているようである。なぜ、和歌山が……。というのは、まだどこの出身か確定していない沙也可が、友鹿里においては鉄砲製造で知られた紀州・和歌山の雑賀衆の出と評価されているからである。

壬辰倭乱（秀吉の朝鮮侵略）から400年の節目となった1992年5月に建立された、功績碑（神道碑という）に手を合わせた後、川の流れに沿って村を歩いた。日本の田舎と変わらないような、のどかな風情が、そこにはあった。村の名である友鹿洞は、元は牛勒洞といっていた。ともに、ウロクトンと読む。

村に定着するに当たり、金忠善が改名して、友鹿洞と名付けた。文字通り、鹿を友とする村のこと。隠れ里のような、山野を開墾したという臭いが、この地名から感じられた。

▽依然、定まらぬ?! 沙也可の出自

大邱に近い友鹿洞にある沙也可の里へと足を伸ばし、子孫に話を聞く。岡崎（愛知県）の小田章恵さんからは、友鹿洞に行ったら、「子孫によろしく」とメールがあり、会ってほしい仁川大学教授の名前まで伝えて来た。李正熙（イジョンヒ）氏という。沙也可の存在を日韓両国に広めた元新聞記者である。京都・福知山の大学で教えたこともあるという。

沙也可とは、秀吉の朝鮮侵略の際、儒教思想に惹かれて朝鮮側に転じた（降倭という）加藤清正軍の鉄砲隊長である。火縄銃の技術や戦術を伝えて日本軍と戦い、のちに北方などで武勲を立てた。朝鮮名を金忠善といい、晩年、友鹿洞で過ごした。韓国では英雄扱いされるが、その実態は不明な点も少なからずある。

これに備えて読んだ本が、北島万次氏（共立女子大名誉教授）の『豊臣秀吉の朝鮮侵略』（吉川弘文館）である。友鹿洞の記念館には、沙也可について、和歌山の雑賀衆出身という断定的な説明が書かれている。

沙也可は誰か、どこの出身か。朝鮮の儒教思想に惹かれたこと、鉄砲の製造技術に詳しかったことから、①対馬藩士ではないか、②鉄砲製造で知られる紀州の雑賀衆、③肥後の武将・加藤清正の鉄砲隊長、という3つの説があった。①は司馬遼太郎、②は神坂次郎、③は北島万次、丸山雍成両氏などが提起した説である。

諸説を比較する上で、1597年12月、加藤清正が籠城を強いられた蔚山倭城の攻防に、大きなヒントがある。このとき降伏を勧告する文書を届けた人物が、降倭越後、岡本越後守であった。

降倭越後については、朝鮮王朝実録の宣祖31年正月壬辰（6日）に幾つかの記述がある。「通事朴大根および降倭越後をして城下に招諭せしむ」「金応瑞をして降倭を帯して賊中に送り、禍福を開諭せしむ」とある。

岡本越後守が沙也可と重なってくるのは、金応瑞の指揮下にあったことである。「1597年11月ごろ、沙也可らの降倭は前慶尚右兵使金応瑞の指揮下にあって、全羅北道雲峰から慶尚南道咸陽を経て、同道の山陰・三嘉へと進撃する鍋島直茂らの日本軍の追撃に加わっている」（北島万次著『豊臣秀吉の朝鮮侵略』より）

沙也可＝岡本越後守、さらにここにもう一人、阿蘇宮越後守が現れる。宇都宮城主であった宇都宮国綱にかかわる記録に出てくる人物で「阿蘇宮越後守は加藤主計殿家来にて候へ共、曲事仕り、高麗へ走り申し候、只今ハ高麗の帝の御気に入られ、人数二千計りの大将仕り候」。細かいことは省くが、彼は阿蘇大宮司の一族であった。豊臣政権に反発する、肥後の在地土豪の先鋒にいた。

「推測の域を出ないところもあるが、沙也可＝金忠善、阿蘇宮越後守、岡本越後守、これは同一人物と考えた方がよさそうである」と、北島万次氏は結論づけている。

十四、公 州

「百済歴史遺蹟地区」が世界文化遺産に登録されたのは、高麗の都・開城（現、北朝鮮）、新羅の都・慶州の後だった。意外だった。三国時代、百済の都である。公州、扶余は史蹟に埋もれた町である。尹龍爀・公州大教授の案内で、公州と扶余を見て回ったとき、遺蹟の多さに圧倒された。印象に残ったのは公山城、武寧王陵、ハスが鮮やかな宮南池、定林寺址（ジョンニムサジ）の石塔、白馬江と扶蘇山城など。ほかにも見所は多く、２泊３日の旅だったが、時間が足りなかった。古代、三国時代、倭国（日本）と親しかった百済である。

朝鮮は石の文化である。公州城に象徴的な遺物があった。善政碑である。城門に入る手前に、歴代の地方長官の善政を記した石碑がずらっと並んでいる。任期を終えて、都へ引き上げる前に、自身の功績を記した石碑を建てることが慣例となっていた。善政碑とはいえ、なかには民を搾取して私腹をこやしながら、それを隠して偽りの善政を刻んだ評判の悪い長官もいた。これは釜山の東萊・東軒の敷地内でも見られた。

公州の誇りは、百済中興の祖・武寧王（ムリョンワン）である。１９７１年、武寧王陵が発見され、韓国内を興奮に包んだ。出土遺物から、百済文化の真髄がいかに素晴らしいものであったかが証明された。のちに、武寧王の生誕地が呼子（佐賀県唐津市）沖にある加唐島であることは、陵墓の買地券の銘文を手掛かりに解明され、古代史学界で定説化されるに至る。

近年、毎年６月に武寧王の生誕祭には、公州の市民ネットワークが欠かさず参加し、日韓合同の祭りとして盛り上げている。

公州にある通信使書記、金仁謙の歌碑

公州は要害の地である。北方には車嶺山脈と錦江が横たわり、東南方には鶏龍山の峰々がそびえ、湖西と湖南には広々とした平野が広がっていた。この地勢は、風水地理説でも富み栄える吉相を表しており、李成桂が興した朝鮮王朝の都の候補に、とりあげられたほどであった。

公州は人材の宝庫でもある。出身者のなかには、朝鮮の近代改革を企てたが失敗に終わった金玉均（キムオッキュン）もいる。上海で刺客に襲われ死んでいる。それと首陽大君（スヤンテグン）（のちの世祖）の政敵として殺害された金宗瑞（キムジョンソ）も、そうだという。公州は、武寧王と李参平（イサムピョン）（有田焼の祖）を通じて、日本との民間交流を進めている。

そこに『日東壮遊歌』を著した金仁謙（1707～1772、号は退石）が加わる。金仁謙について、尹龍爀・公州大教授が、市の定期刊行物に「歴史の中の公州人物」として評伝と通信使紀行を書いており、参考になる。掲載写真として、金仁謙の歌碑と林の中の墓石、下関の通信使記念碑と沖縄・サツマイモゆかりの神社が載っていた。

第11回目の通信使書記として日本に行った57歳の金仁謙は、病弱な体ながら1年かけて漢城と江戸（東京）の間を往復した。その間の見聞録を子孫に残したいと、歌辞という律文詩でつづったハングルの紀行文『日東壮遊歌』を完成させた。それは見事な文章であり、日本社会を見る観察力は鋭かった。行く先々で求めに応じて書いた詩文は千首を超えた。どこの宿泊先にも儒学者、文人、医者などが朝鮮の先進文化を学ぼうと盛んに足を運んだ。帰国報告を聞いた国王・英祖は「あっぱれ見事であった」と称えている。

▽韓屋村に顕彰碑——王妃になった公州の娘

公州は、かつての百済の都。毎年10月には、百済祭を開催し、時代行列が華やかに繰り広げられる。これに合わせ、武寧王が生誕した加唐島をかかえる佐賀県・唐津の友好団体が訪れている。宿泊先として、彼らが熱望するのが公州韓屋マウル（村）である。先日、お世話になった公州大教授、尹龍爀夫妻の案内で初めて訪ねたが、シンボリックな官衙の建物を中心に、瓦屋根の伝統家屋が幾棟となく建っている韓屋マウルだった。この雰囲気が、唐津の方々は好きなのであろう。室内は板の間で、寒い時期にはオンドルを入れて、温かく過ごせる。ただ、各棟ごとに浴槽やトイレがないのではないか。必要に応じて、別軒に走らざるを得ない。その不便があっても、韓屋を熱望する唐津の方々をはじめ、日本人は多い。

韓屋マウルに入ると、大きな石碑があった。尹先生が、その内容を簡単に説明してくれた。要約すると、こうである。

高麗時代、契丹の侵攻にさらされた都を逃れ、公州にやってきた国王を、地元の役人が心を込めてもてなした。そのとき手伝った役人の娘に、国王は心惹かれ、契丹が去った都に戻ると、娘を呼んで妃とした。

公州の方々が、自慢とする麗しい歴史秘話である。なにかの本で読んだ記憶があった。帰宅後、蔵書を調べると、通信使で交流のある奈良の盧桂順先生からいただいた母親の書、成律子著『朝鮮女人曼荼羅』（筑摩書房）に載っていた。第3章の「高麗時代の女性像」のなかに、「2、王妃となった田舎娘」として出てくる。

高麗の顕宗王（ヒョンジョンワン）（第8代王、在位1009～1031年）の時代の話である。先述の同著には、こうある。

康兆が5千の部下を率い、穆宗王（モクチョン）をはじめ千秋太后と金致陽一派を葬り去って顕宗王を擁立すると、契丹はそれを『謀反』とする口実でもって、40万の侵略軍を高麗へ投入した。当初、高麗の防衛軍は士気高く反撃に成功したが、康兆が隙をつかれて捕らえられ、契丹へ連行されて首をはねられてしまうと、一転して守勢をよぎなくされたこれから顕宗王一行は公州、さらに羅州（ナジュ）（全羅南道）まで難を逃れる。飲まず食わずの難行の末、到着した公州で、土地の節度使（長官）、金殷傅（キムウンジョン）が私邸で接待する。誠心誠意尽くしたもてなしに感動した顕宗は、自身の身の回りの世話をする金殷傅の娘に心惹かれる。金殷傅には3人の娘がいたが、顕宗が見初めたのは長女であった。羅州に逃れた顕宗は、臣下を派遣して講和交渉を進め、敵軍を撤退させることに成功する、都へ帰還する途中、娘に逢いたいがために視察名目をかかげて、公州を訪れ、金殷傅一家と再会する。

公州で思いを果たした顕宗は都に帰還後、しばらくして金殷傅の長女を妃として迎え入れた。それが、元成王（ウォンソンワン）后（フ）である。

その後、元成王后は第9代徳宗王と第10代靖宗王の太后となっただけでなく、父親の願いどおりに2人の妹も宮中に入れ、元恵、元平王后としてもり立て、庇護したのである。（成律子氏の同著より）

娘の父親、金殷傅が出世したのはいうまでもない。父親の策略が思い通りに当たり、一族は栄輝栄華に浴することができた。

それがいまでは、公州の誇りとなっていることを、韓屋マウルに立つ記念碑を通して知った。

第三章　対馬藩の外交力

どんな時代に生まれるか。それによって人生が大きく左右される。日朝を結ぶ対馬藩では、秀吉と家康の意向をうけて朝鮮との「戦争と平和」の両面にかかわった義智、それに柳川事件（藩家老・柳川調興による国書改ざん暴露、その裁き）で追い詰められた義成が、悲劇の藩主である。ここでは義成の人生を、思い描きたい。

柳川事件の伏線となる徳川将軍・家光からの命令があった。北方の勢力が朝鮮を犯し、朝鮮国内は混乱しているが、その実情を探ってこいという内容である。これに応え、外交僧・規伯玄方を正使とした総勢19名の使節が、釜山から上京し、家光将軍の意向に応える。

これを通じて、対馬藩の外交力を幕府に再認識させることができ、義成も「してやったり」とご満悦のはずである。というのは、江戸城で幕府に喰い込み、藩

対馬藩主の居城、
金石城跡に復元された櫓門

主さえないがしろにする江戸詰めの藩家老・柳川氏に痛打を与えられたからである。実はこれが、江戸城で、幕府と対馬の間を取り持っていた藩家老の柳川調興の焦りを誘発する。幕府に内密で、対馬藩が永年の間、朝鮮国王の国書を改ざんしていたことを暴露する事件が発生する。

まさかの、国書改ざん発覚。義成の心労は、大変なものだったであろう。藩の実力者が流罪・死罪となって姿を消す中で、お家廃絶もあり、という危機感を募らせたはずである。家光の裁きは、対馬藩安泰、家役の対朝鮮外交に励めという内容。これを聞いて、安堵したに違いない。しかし、その後、対馬藩の外交力が試される事態を迎える。

柳川事件の5年後、1636年に第4次通信使が来日する。すでに、この事件は朝鮮側にも伝わり、対馬藩への同情の念があった。第4次通信使は「泰平の賀」を派遣名目にかかげ、江戸で国書交換に臨む。それを控えた3日前、義成は通信使高官に将軍の勧めとして、日光遊覧の話を持ちだした。

この家光の意向には、通信使を利用して、幕府の体制強化と将軍の権威を内外に誇示する狙いが秘められていた。

義成にとっては、対朝鮮外交の手腕が試されるとの思いがある。もし、通信使使臣がこれを拒めば、対馬藩の立場は危うくなり、幕僚の反対馬一派につけ入るスキを与えることになるということも、当然想定したであろう。ただ、使臣には、前例を逸脱した日光遊覧に応じれば、帰国後、責任問題にも発展しかねない。

迷った末、使臣が下した判断は、承諾だった。その背景には、祖国では北方に安全が脅かされ、後金の侵攻で甚大な被害が出ていた。そこに、南方、いわゆる日本との友好関係を悪化させればどうなるか。使臣は、国内事情も踏まえて判断した。

将軍の意向に応じて、日光遊覧に出向いた使臣からは、いい感想は聞けなかった。

関白は一国の君長として、その祖父を仏寺の後ろにある荒山の中に祀り少しも恥とせず、かえって隣国の三

使臣に自慢しようとするが、その愚かさと智恵のなさには、責むるに足らざるものがあった
通信使トップ、正使の任絖（イムクワン）は『丙子日本日記』にこう記しているが、この印象は副使も従事官も同じであった。通信使の使臣は皆、柳川事件に関心をもち、朝鮮の対日外交における対馬藩の立ち位置を深く認識していた。
今回、朝鮮にとって対馬藩の利用価値を見定めることが問われたといえる。
結局、通信使による日本の日常探索は外交相手国である日本理解にとどまらず、朝鮮に適用可能な実用的な技術の探索へとつながっていったのである。

萬松院にある宗義智の墓

▽歴代対馬藩主の手腕は

江戸時代、朝鮮通信使の往来で、黄金時代を築いた対馬藩の外交力を解明するため、藩主の功績を、菩提寺の萬松院でいただいた「御墓所案内」在墓藩主略表でたどる。対馬藩の外交力を知る上で、歴代の藩主がどういう人物だったか、治世下に何があったか、何を行なったか。この3点について見てみたい。

●義智（よしとし）、①院殿号＝萬松院殿、②承統・退譲＝１５７９〜１６１５、③治世＝38年間、④功績と出来事＝朝鮮出陣、関ヶ原役に出陣、朝鮮との外交・来聘貿易など家役となる。肥前に1万2千石を受領、⑤幕府＝信長、秀吉、家康、秀忠

●義成（よしなり）、①光雲院殿、②１６１５〜１６５７、③43年間、④大坂夏の役、島原の乱に出陣、国書改ざん事件発覚、柳川調興流刑さる、⑤

秀忠、家光、家綱

●義真（よしざね）、①天龍院殿、②１６５７～１６９２、③36年間、④黄金時代といわれ、政治・経済・教育・文化・厚生・土木・陶業等の業績多い、⑤家綱、綱吉

●義倫（よしつぐ）、①霊光院殿、②１６９２～１６９４、③3年間、④村民の生業、心得とすべき壁書を公布した、⑤綱吉

義成の治世下、江戸詰の家老格の柳川調興が暴露した国書改ざん事件で、対馬藩は大きく揺れる。事件該当者は江戸城に呼び出され、尋問を受け、死罪に追い込まれる犠牲者も出た。「お家廃絶か」。その危機感をもつ藩主・義成の手によって、高蒔絵三十六歌仙額が厳原八幡宮に奉納されている。幸い、裁きは訴えた柳川調興が罰せられ、対馬藩は従来通り、対朝鮮外交を任されることになる。

この事件で、対朝鮮外交を担う人材が手薄となり、藩の要請を受けた木下順庵が門下生の雨森芳洲を指名する。これを受け、芳洲は任官する。22歳のときであった。

数年後、芳洲は対馬へ渡るが、その頃、対馬藩は義真の治世下にあって、藩政が安定し、経済的にも上向いていた。

藩主の手腕は、とりもなおさず藩官僚が優秀であってこそ、光ってくる。義真の治世を支えた大浦光友が気になる存在である。藩政の基礎を固めるために尽力した。その甲斐があって、対馬藩の全盛期が築かれ、藩の格式は10万石格にまで登りつめた。

●義方（よしみち）、①院殿号＝大衍院殿、②承統・退譲＝１６９４～１７１８年、③治世＝25年間、④功績と出来事＝全島の猪を退治、甘藷を移植した、肥前に１５００石加増、⑤幕府＝綱吉、家宣、家継

・１７００年　陶山訥庵が計画して猪鹿追詰（おいつめ）始まる。対馬国絵図が完成する。対馬で地震あり。石垣が崩れ、

墓石が倒れる

- 1703年　朝鮮国訳官使船、鰐浦沖で遭難し、一行と対馬人4人を含む112名全員亡くなる
- 1711年　第8次の朝鮮通信使来日する（500名）。宗義方、江戸まで案内する
- 1715年　原田三郎右衛門が薩摩から甘藷の種を持ち帰り、栽培する。「孝行芋」と呼ばれる。やがて朝鮮へも輸出する（注：1764年、来日した通信使の正使が持ち帰り、朝鮮に広まった）
- 1719年　第9次の朝鮮通信使来日する（475名）。宗義誠、江戸まで案内する

●義誠（よしのぶ）、①大雲院殿、②1718〜1730年、③13年間、④倹約を達す、農政を振作した、⑤吉宗

2人の藩主は、日朝の儒学者に翻弄させられた。

雨森芳洲の墓。長寿院の裏山にある

義方の治世下、来日した通信使を江戸まで案内したのはよいが、家宣将軍のとき、指南役の新井白石が通信使接待の簡素化を実施し、通信使はもとより幕府官僚からも批判が渦巻いた。この問題に対馬藩として向き合ったのが、雨森芳洲だった。白石と芳洲はかつて木下順庵のもとで研鑽した仲間であった。

義誠は、対馬・府中で通信使を迎え、過去の儀礼にもとづき歓迎の宴を開くが、そのときの藩主と通信使の儀礼をめぐって、通信使の製述官である申維翰が、旧例はおかしいと執拗に抗議し、対馬藩の指示に従わない。これに対応したのは、やはり雨森芳洲であった。そのやりとりを一部、再現したい。

芳　洲「何を謂わるるか」

中維翰「君は必ず、余をして島主の前に進んで拝せしめ、島主は坐ったまま袂を挙げてこれに答えるを欲するか」

芳　洲「故事は然り」

中維翰「然らず。この島中は朝鮮の一州県にすぎない。太守は図章を受け、我が朝稟を食し、大小の命を請うのは、我が国藩臣（地方長官）の義である」

中維翰は、対馬を朝鮮の一州県に属すかのような、認識を持っていた。問題の惹起した根は、ここにあった。このとき、藩主は、宴会場に来たものの、席に座らず、帰っている。芳洲をはじめ藩の重臣も困り果ててしまっている。

以上の経過は、中維翰の『海游録』から引用した。

●方熙（みちひろ）、①院殿号＝清浄院殿、②承統・退譲＝1731～1732年、③治世＝2年間、④功績と出来事＝厳原町大火、④幕府＝吉宗

•1732年　府中で大火がある。焼失家屋1299軒、寺院28軒等

●義如（よしゆき）、①円鏡院殿、②1732～1752年、③22年間、④幕府4年間、年1万両を給した。潜商の禁を厳にした

•1748年　第10次の朝鮮通信使来日する（475名）。宗義如、江戸まで案内する

●義蕃（よししげ）、①大順院殿、②1752～1762年、③11年間、④奢侈を禁じ冗費を汰した郷村更生仕法を定め指導した。幕府3年間、年1万両を給した

朝鮮通信使は釜山から6隻の船に乗って、大坂まで向かう。6隻のうち半分は貨物船である。第10次の通信使来日の折、往路、対馬・鰐浦で副使の騎船に火災が発生した。対馬藩が祝儀に送った酒を飲み、酔った下官の不始末で、船内の蓑にロウソクの火がつき、焼失したと対馬藩は報告している。この出火で、副使一行の日常品、さらに将軍などへの贈答品が灰となった。

この報告を受けた朝鮮政府は、その補充に悪戦苦闘している。一方、対馬藩は通信使護送の責任を幕府から責められるのではないかと、対面をつくろうために四苦八苦している。

●義暢、①院殿号＝真常院殿、②承統・退譲＝1763～1778年、③治世＝17年間、④功績と出来事＝財産緊縮、幕府年1万2千両ずつを給す、⑤幕府＝家治

・1776年　朝鮮貿易が不振で、毎年1万2千両を幕府から受ける

●義功、①浄元院殿、②1778～1812年、③35年間、④恩文館、講武所、田代に東明館が出来た。農工振興、桟原城で朝鮮聘礼行われる。肥前其他に2万石加増、⑤家治、家斉

・1798年　異国船が対馬近海に出没する

・1811年　第12次の朝鮮通信使来日する（328名）。信使一行を対馬の地のみで迎え、幕府の使者と共に儀式・接待を行う。藩主義功の代行を岩千代（義質）がした。（易地聘礼という）

●義質、①啓祐院殿、②1812～1838年、③27年間、④捕鯨業盛んとなった、⑤家斉

・1813年　伊能忠敬の測量隊一行、3月末に来島し、実働46日間で対馬を測量する

・1817年　義質に易地聘礼の褒美として、新たに2万石の地を給せらる。（肥前の松浦、筑前の怡土、下野の安蘇）

●義章、①兆徳院殿、②1839～1842年、③4年間、④海防を益々厳重にした、⑤家慶

●義和（よしより）、①厳光院殿、②1842〜1862、③21年間、④勤王論者長州と同盟して活動した。露艦浅海で横暴し殉難者出る、⑤家慶、家定、家茂
•1859年　英艦アクティオン号、尾崎湾に入る。薪水を補給した後、退去する
•1861年　ロシア軍艦ポサドニック号が尾崎沖に停泊し、芋崎を6カ月間占拠、沿岸を測量するなど外交問題となる
•1862年　対長（対馬と長州）同盟成立する

対馬近海に外国艦船が現れる幕末、対馬は大きく揺れた。勝井騒動が発生したからである。勝井五八郎が、攘夷の急進派に大弾圧を加え、受難者は100余名に及んでいる。長州と同盟を結んだ影響により、有能な人材が犠牲になった。

倒幕後、明治維新政府が樹立されると、京都に上った宗義達（よしあきら）（重正）が新政府に朝鮮国交について考えを述べている。その翌年、版籍返上に伴い、府中を厳原と改め、宗義達が厳原藩知事に命じられている。その後、厳原藩は伊万里県（後に佐賀県に改編）に合併され、1872年に長崎県の所管となる。

宗家の菩提寺・萬松院は旧藩時代、寺領200石と全島天台宗総司の職を附与されていた。

朝鮮国王は義智公の厚誼を重んじて、萬松院送使の銅印を与えて年々祭典を助けたり、歴代藩主の逝去に弔礼を修して墓前に青銅の花瓶、香炉、燭台を供献する特殊の例典もあった　（萬松院の御墓所案内より）

▽官僚が時代を動かす

徳川幕府から明治政府移行期における権力の委譲に際して、行政上の混乱がさほど起こらなかった理由として、明治政府の官僚たちが有能だったことを指摘する意見がある。これは、元をただせば、幕府政治に淵源する。

この幕府は、将軍の独裁によって統治されることも稀にはあったが、幕府政治はおおむね老中たちの合議制によっておこなわれていた。そして老中たちの下に有能な官僚が抜擢され、官僚制の実現をみていた。この点は、諸藩も同様である。こうした制度の下に、武士たちのある者はむしろ官僚的性格を帯びていた。

このように源了圓氏（東北大学名誉教授）は、『徳川思想小史』（中公新書）の中で述べる。幕府政治の官僚の有能さが、明治政府でも有効に機能したと指摘する。これが、司馬遼太郎のいう「明るい明治」にも結び付くのであろう。

国境の島、対馬藩の家役として、絶えず朝鮮と向き合い、外交上のノウハウを蓄積し、その上で外交力を発揮した藩官僚には、誰がいるか。

萬松院からいただいた「御墓所案内」在墓藩主略表に出て来る官僚として、次のような人物が書かれている。

賀島兵介（かしまひょうすけ）、松浦霞沼（まつうらかしょう）、陶山訥庵、斎藤延、雨森芳洲、杉村直記（すぎむらなおき）、松浦桂川（まつうらけいせん）、平山東山（ひらやまとうざん）

江戸時代、黄金時代を迎えた対馬藩には、以上の人物の他に、藩政史に名前を残す功労者が多くいる。国境の島に人材が集まったということは、それだけの家役があったということ。家役とは対朝鮮外交であり、貿易であった。対馬藩は、日朝を結ぶ懸け橋として、重要な役割をはたした。それは、街並みにも現れている。かつて府中といわれた厳原の城下町を歩けば、その風情が感じられる。

地元で顕彰される「対馬三聖人」として、賀島兵介、松浦霞沼、陶山訥庵が、さらに１９９０年代、国際化が叫ばれる時代になってからは、雨森芳洲が加わる。

朝鮮通信使一覧

西暦	朝鮮 日本	干支	正使	副使	従事官	製述官	総人員 （）大坂留	使命	使節関係の記録 および編纂物	備考
一六〇七	宣祖四〇 慶長十二	丁未	呂祐吉	慶暹	丁好寛	学官 楊萬世	五〇四（一〇〇）	修好 回答兼刷還	海槎録（慶暹）	国交回復
一六一七	光海君九 元和三	丁巳	呉允謙	朴梓	李景稷		四二八（七八）	大坂平定祝賀 回答兼刷還	扶桑録（李景稷）東槎日記（朴梓） 東槎上日録（呉允謙）	伏見聘礼
一六二四	仁祖二 寛永元	甲子	鄭岦	姜弘重	辛啓栄		四六〇（一一四）	家光襲職祝賀 回答兼刷還	東槎録（姜弘重）	
一六三六	仁祖十四 寛永十三	丙子	任絖	金世濂	黄㦿	吏文学官 権侙	四七八	泰平祝賀	丙子日本日記（任絖） 海槎録（金世濂） 東槎録（黄㦿）	以降「通信使」と称す 日本国大君号制定 日光山遊覧
一六四三	仁祖二十一 寛永二十	癸未	尹順之	趙絅	申濡	読祝官 朴安期	四七七	家綱誕生祝賀 日光山致祭	海槎録（申濡） 東槎録（趙絅） 癸未東槎日記	東照社致祭
一六五五	孝宗六 明暦元	乙未	趙珩	兪瑒	南龍翼	読祝官 李明彬	四八五（一〇〇）	家綱襲職祝賀 日光山致祭	扶桑録（南龍翼）扶桑日記（趙珩） 日本紀行（李東老）	東照宮拝礼 および大猷院致祭
一六八二	粛宗八 天和二	壬戌	尹趾完	李彦綱	朴慶後	成琬	四七三（一一三）	綱吉襲職祝賀	東槎日録（金指南） 東槎録（洪禹載）	
一七一一	粛宗三十七 正徳元	辛卯	趙泰億	任守幹	李邦彦	李礥	五〇〇（一二九）	家宣襲職祝賀	東槎録（金顕門） 東槎録（任守幹）	新井白石の改革
一七一九	粛宗四十五 享保四	己亥	洪致中	黄璿	李明彦	申維翰	四七五（一二九）	吉宗襲職祝賀	海槎日録（洪致中） 海遊録（申維翰）扶桑録（金潝） 扶桑紀行（鄭后僑）	
一七四八	英祖二十四 延享五（寛延元）	戊辰	洪啓禧	南泰耆	曹命采	朴敬行	四七五（一〇九）	家重襲職祝賀	随使日録（洪景海） 奉使日本時聞見録（曹蘭谷）	
一七六四	英祖四十 宝暦十四（明和元）	甲申	趙曮	李仁培	金相翊	南玉	四七七（一一〇）	家治襲職祝賀	海槎日記（趙曮）和国志（元重挙） 癸未使行日記（呉大齢）ほか	崔天宗殺害事件
一八一一	純祖十一 文化八	辛未	金履喬	李勉求		李顕相	三二八	家斉襲職祝賀	辛未通信日録（金履喬） 東槎録（柳相弼） 島遊録（金善臣）	対馬聘礼

*対馬市発行のパンフレット「朝鮮通信使」収載の表を元に作成。総人員は仲尾宏著『朝鮮通信使』（岩波新書）に準拠

第四章　海路をゆく——対馬から大坂まで——

朝鮮通信使にとって、対馬から大坂までの海路、釜山港から大坂・天保山沖までの航海は格別なものがある。途中、寄港した玄界灘の島々、瀬戸内海の港町で、いかに熱い歓迎、厚いもてなしを受けたか知ってほしい。

いうまでもなく通信使往来には、日朝に思惑があった。「文」の国・朝鮮王朝は儒学思想で、「野蛮」な国・日本を教え導きたい思惑を抱く。徳川幕府は天下統一後、支配体制強化に利用したいという思惑があった。その両国の思惑も、通信使を熱烈歓迎する日本の民衆によって、見事なまでに払われた。元祖韓流といえるブームである。

釜山の永嘉台で、航海の無事を祈る海神祭を行った朝鮮通信使一行は6艘の大型船に乗船し、対馬藩の船に導かれて日本へと旅立つ。1年前後にわたる長旅。航海に慣れていなかった朝鮮人には心身ともに疲労が伴う道中であった。対馬藩主がいる府中・厳原に着くまでが、まず難儀であり、10日以上を要している。厳原で対馬藩主のもてなしを受け、玄界灘の島、壱岐、相島（あいのしま）を経て、赤間関（下関）へと船旅が続く。風雨、波浪に行く手を阻まれながらも乗り切り、瀬戸内海に入る。

玄界灘に比べ、瀬戸内の海は穏やかで、航海者の気持ちも安らぐ、という印象をもっていたが、実際は違うようだ。瀬戸内海は島が多く、潮流も複雑である。海の状況と地形を知らない者には、安全な航海ができない危険な難所である。さらに、古くは海賊がいた。

しかし、隣国の外交使節を迎える沿道諸藩は、幕府の威信を汚さないよう、厳戒の態勢を組んで、通信使船を護衛・案内していく。道中の眺めはよく、「日東第一形勝」と称えられた鞆(とも)の浦（広島県福山市）・福禅寺対潮楼の絶景もある。

鞆の浦について、１７１９年（第9次）の製述官・申維翰が著した『海游録』に次のようにある。

> 瓦葺きの屋根や市肆が簇々として寸隙なく、見物の男女は、錦衣を着て、東西に満ちあふれている。そのなかには、商客、倡娥(あそびめ)、富人の茶屋も多く、各州からきた使官が往来し、住舎も繁華にして目に溢れるばかり。
> これまた赤間関以東の一都会である。

西国大名は、接待を競った。通信使一行の嗜好品の調達に涙ぐましい努力を行った。通信使の日本使行録「東槎録」には、下蒲刈島(しもかまがりじま)の話として、こうある。朝鮮人の好む食べ物が雉(きじ)であるという情報がもたらされたのは、到着１カ月前。国賓である通信使を接待するため、広島藩は背に腹はかえられず、雉１羽に３両もかけて調達した、と。

近年、釜山と大阪を結ぶ定期航路がある。「パンスターフェリー」である。午後3時に釜山港を出発し、翌朝10時、大阪南港に着く。所要時間18時間50分。その航路の魅力は瀬戸内海をたどることにある。巨大橋を３つ潜り抜ける景色もいいが、室町から江戸時代にかけて、大坂・天保山沖に向かった朝鮮通信使の瀬戸内海コースを体感できる面白さがある。

通信使は、日朝を結ぶ平和の懸け橋となったが、それがために派遣された一行は大変な緊張と労苦を強いられた。儒教の国である。教養と威厳を求められた。朝鮮国王もまずは、それを要請した。これらに、立派に応えた使節であったことは、来日の度に朝鮮ブームを起こしたことで証明されている。

一、対馬――善隣外交を担う

秀吉の朝鮮侵略は、日本国内に疲弊をもたらした。文禄・慶長の役で、それぞれ16万前後の大軍が出兵したが、帰国できたのはどちらとも半分以下。労働力不足に拍車をかけた。対馬も例外ではない。島内の『洲河(すがわ)家文書』には、「殊外御(ことのほか)ちん（陣）ニ付、いたミ申候へ共、人もすくなく罷(まか)り成り候」とある。秀吉亡き後、薩摩国出水郡内の所領1万石にかえて肥前国内に1万石余、さらには米の現物1万石も、対馬に与えられた。しかし、再生のカンフル剤には遠い。対馬は、侵略戦争で途絶えた朝鮮貿易復活に活路を求めていた。

天下取りの過程で家康が朝鮮側へ申し入れた、いわゆる国交修復と朝鮮通信使派遣は困難を極めたが、生き残りをかけた対馬藩の執念でこじ開けられる。

釜山には1680年代に約10万坪の日本人居留地、倭館が整備され、対馬藩士が交代で400人から500人が常駐。外交交渉や貿易に従事した。公貿易、私貿易で朝鮮から入手した朝鮮人参は、三都では高嶺の花となり、貿易で得られる利益は莫大なものとなった。

さらに、朝鮮王朝が派遣した朝鮮通信使は、対馬藩にとって大きな利益を生み出した。対馬経済のカンフル剤となった。いわば打ち出の小槌といえた。その理由は、

①幕府から助成金が下りた／②島の施設、港湾整備ができた／③朝鮮王朝からの贈り物で潤った／④朝鮮人参の商いを独占できた、などである。

1764（宝暦14）年から途切れた通信使派遣のため、対馬藩側から朝鮮の文官に賄賂が贈られ、通信使派遣の裏工作が進められた。この交渉には、対馬藩の外交官、雨森芳洲が創設した韓語司（いわば通訳官養成学校）を草創に卒業した小田幾五郎が主導した。その甲斐あって、やっと1811（文化8）年に第12次が派遣されたが、対馬止まりという制約付きだった。

対馬は、大陸文化を導入する橋梁である、古来から朝鮮と交流が盛んな国境の島である。中世は倭寇、近世は朝鮮通信使に象徴される。

対馬の威容は、厳原の町を散策すれば、よく分かる。萬松院、西山寺、修善寺、長寿院にある雨森芳洲（対馬藩の外交官）の墓、半井桃水（なからいとうすい）（樋口一葉の小説の先生、朝日新聞・小説記者）生地跡記念館……。それに必見のお宝がある。厳原八幡宮の三十六歌仙蒔絵である。家光将軍の時代、国書改ざん事件が発覚した。朝鮮外交を幕府から一任された対馬藩は、交渉をスムーズに進めるため、国書を改ざんしていた。江戸滞在の対馬藩の重臣・柳川調信が訴え、表面化する。お家断絶の危機に揺れるなか、安泰を祈って三十六歌仙蒔絵が、奉納された。

宗家の菩提寺、萬松院の墓地は日本三大墓地の一つに数えられるほど壮大である。本堂には歴代の徳川将軍の位牌がずらりと並ぶ部屋もある。また、かつての武家屋敷の石塀や、通信使の宿舎となった西山寺と国分寺など、対馬藩のかつての賑わいを伝える佇まいが、今も残っている。

室町幕府、江戸幕府にとって辺境の島ではあるが、朝鮮外交、貿易によって日本でも開明的な土地として、一目置かれた。

対馬は「本（も）と是れ我国の地」（世宗実録）、「即ち日本国対馬州なり、旧我が鶏林（慶州の雅名）に隷す、未だ何時に倭人の拠る所と為りしかを知らず」（地誌『新増東国輿地勝覧』）とある。朝鮮が米を下賜し、官職まで授けていたことから、朝鮮の朝廷も、多くの朝鮮人も、対馬を朝鮮領と見た時代があった。それほどお互いの関係は深い。

対馬は、朝鮮と中央の幕府の間にあって、生きるための智恵を次々と生み出していく。その大きなものが、国書改ざんであった。これは、日朝の平和的秩序、友好を維持するための確信犯でもあった。

【ユネスコ世界の記憶】

- 朝鮮国信使絵巻（上下巻）＝制作者：対馬藩／制作年代：17～18世紀／所蔵：長崎県立対馬歴史民俗資料館

※重要文化財

●朝鮮国信使絵巻（文化度）＝対馬藩／19世紀／対馬歴史民俗資料館　※重要文化財
●七五三盛付繰出順之絵図＝対馬藩／18世紀／対馬歴史民俗資料館
●馬上才図巻＝広渡雪之進／18世紀／松原一征　対馬歴史民俗資料館寄託　※対馬市指定文化財

○対馬の歴史散策

⑴ 対馬に立つ、日韓交流史の記念碑

かつて対馬で入手した資料が出てきたので見ていると、貴重な小冊子がある。『対馬が舞台になった日韓交流史の記念碑〝誠信の交隣〟の背景』（対馬市発行）と、長たらしい題名が付いた小冊子である。対馬は日朝の懸け橋である。古来より、いろんな人が対馬経由で日本本土へ渡った。その系譜を石碑に刻んで伝えている。それを紹介したのが、冒頭の小冊子である。

サツマイモを右に傾げた格好の対馬島を、北から南へと、建てられた日韓交流史の石碑を紹介したい。

先ず、北端から東海岸沿いを南下すると、朝鮮国訳官使殉難之碑、朝鮮国訳官使並従者殉難霊位、百済国王仁(ワニ)博士顕彰碑（以上、上対馬町）、朝鮮通信使李藝功績碑（峰町）、通信使黄允吉顕彰碑、朝鮮国通信使之碑、李王家宗伯爵家御結婚奉祝記念碑、鶴峯金誠一先生詩碑、大韓人崔益鉉(チェイッキョン)先生殉国之碑（以上、厳原町）

北端から西海岸沿いを南下すると、新羅国使朴堤上公殉国之碑、朝鮮国王姫の墓（以上、上県町）、対馬海峡遭難者追悼之碑（峰町）

石碑の一つひとつには、歴史のドラマが詰め込まれている。そのなかの一つだけを紹介したい。朝鮮国王姫の墓である。石碑には、こう刻まれている。

朝鮮国王姫の墓

この地域には『豊臣秀吉が朝鮮に出兵した文禄・慶長の役（１５９２〜１５９８）のときに某武将が朝鮮国王

のお姫様を連れて来た』、また姫が亡くなる時、『母国が見える所に葬ってほしいと言い遺して黄泉の国に旅立った』との伝説があり、数百年間、大事に語り、護り継がれてきた。

この墓石の正面には『李昖（イエン）王姫』、側面には『慶長十八年甲寅年』（１６１３）の銘がある。李昖は第14代朝鮮国王宣祖（１５６８～１６０８）

刻まれた碑文は以上である。碑文の右側には、基盤の上に、こじんまりした墓石が組まれている。

伝説と断わっているが、王姫は、宣祖の側室であったのであろうか。秀吉軍が都に攻め入る前に、宣祖と王妃ら一行は、臣下に守られながら平壌、さらに中国国境の義州へと落ち延びた。対馬に連行された王姫は、逃げ遅れて都で捕まったのであろう。連行した武将は誰か知らないが、帰藩する途上、対馬に置き去りにしたのか、それとも王姫が体調を崩して対馬に残ったのか。王姫にも、悲哀に満ちた物語があって興味深い。

(2) 対馬藩の外交官、雨森芳洲

雨森芳洲（１６６８～１７５５）は対馬藩の対朝鮮外交の活躍した外交官で、朝鮮との「誠信交隣」、現代の言葉でいえば「誠信の交わり」という言葉を残した。芳洲が広く知られるきっかけは、１９９０年に来日した韓国の盧泰愚（ノテウ）大統領が宮中晩餐会の答礼で行った雨森芳洲を称える演説だった。

芳洲の出生地、滋賀県高月町のまち起こしは活気づき、対馬でも芳洲を顕彰する運動が盛んとなり、対馬が提唱する朝鮮通信使ゆかりのまちを繋ぐ縁地連絡協議会結成へと動いていった。このように盧泰愚大統領演説は、大きな波動となった。

雨森芳洲は、寛文8（１６６８）年、雨森村の医者の家に生まれた。初めは医者を志し、京都で修業したが、能筆家が紙を仕損じるように、医者は一人前になるために人の命を粗末にしてしまうことは仕方がない、といった話を聞き、儒学へと転向。17歳のとき、江戸に出て、木下順庵の門下に入った。順庵の門は多くの有能な人材を輩出したが、なかでも6代将軍、家宣の指南役になった新井白石らとともに、芳洲は「木門五先生」の一人に数えられている。芳洲22歳のとき、順庵の薦めで、対馬藩に出仕した。ときの対馬藩主は宗義真。対馬が政治的にも、文化的にも最も栄えた時期だった。

芳洲31歳から外交実務を担当する朝鮮方佐役に就き、業績をあげていく。弱音を吐くことがあったが、島で生きていく覚悟が定まる。当時、対朝鮮外交は「筆談外交」だったが、それを芳洲は「ことばを知らで如何に善隣ずや」と言って、釜山で3年間留学し、朝鮮のことばを習得するために学んだ。

44歳（1711年）と52歳（1719年）のとき、朝鮮通信使の真文役として対馬から江戸までの往復の旅に随行した。61歳で、藩主に上申した『交隣提醒（こうりんていせい）』に、誠信交隣という現代にも通じる外交上の心構えを説いた。晩年になっても向学心は衰えず、1万首の和歌づくりを目指し、「古今和歌集」1千遍詠みを2年かけて終え、88歳の生涯を終えるまで和歌2万首を詠んでいる。

江戸末期、中川延良が書いた『楽郊紀聞（らくこうきぶん）』によると、芳洲の辞世の句は、

油尽きともし火消ゆる時迄も忘れぬものは大学の道

墓は対馬・厳原町の長寿院にある。

雨森芳洲の著作の中で、最も評価されているのは、『交隣提醒』であろう。61歳のとき、対馬藩主に対朝鮮外交の心構えを説いたものである。

互いに欺かず争わず真実を以て交わり候を誠信とは申し候

長年、朝鮮外交にかかわった体験から、自ずとにじみ出た芳洲の言葉である。この誠信の交わりは、〝日韓の懸け橋〟として交流を進める上で、大切な基本理念といえる。21世紀の朝鮮通信使を目指す上で、忘れてはならないキーワードは、「誠信」の2文字である。

近年、対馬芳洲会が顕彰活動に取り組んでいる。かつて芳洲の精神を現代に継承しようと芳洲外交塾が開かれ、

そのＯＢ会も組織されたほどである。

(3) 通信使浮上に賭けた日韓の友情

ユネスコ「世界の記憶」（記憶遺産）に登録された朝鮮通信使は、その精神である誠信の交わりで日韓を結び、大きく花咲いた。その中心に、松原一征氏と姜南周先生がいる。この2人の牽引力を抜きにして、現代の通信使は語れない。

福岡大学。ここが2人の出会いの場となった。１９９4年、国立釜慶大学教授の姜先生が訪問研究員として滞在していた。そのとき、同大出身であった松原氏が世話をした。のちに「朝鮮通信使縁地連絡協議会」を起ち上げ、顕彰活動に打ち込む松原氏の話を聞いて、姜氏も通信使に大きな関心を寄せる。釜慶大の後輩を連れて、対馬を度々訪れていた姜先生が、同大総長になったのを契機に、韓国に通信使の風を起こす。産官学のリーダーとして、姜先生は釜山市長を対馬に案内し、日韓の懸け橋として通信使がいかに大きな歴史的遺産であるか説き、念願であった釜山・朝鮮通信使祭りを恒例行事として立ち上げることに成功した。

２００2年、初の釜山・朝鮮通信使祭りが、龍頭山公園で行なわれ、通信使行列を再現して、市民に日韓を結んだ通信使の存在をアピールした。

「対馬を元気に、日韓に明るい未来を」と、つねづね経済人として標榜する松原氏には、通信使は希望の星であった。

姜先生は秀吉の朝鮮侵略で、日本に4年間も抑留された儒学者、姜沆（カンハン）の16代子孫である。先祖の姜沆は、徳川幕藩体制を支える朝鮮朱子学を伝え、姜先生は朝鮮通信使を日韓の懸け橋にした。

通信使を「世界の記憶」登録申請しようと提案したのも姜先生である。登録リストを作ったのは釜山文化財団と朝鮮通信使縁地連の日韓合同チーム。しかも民間団体が主導する極めて異例の申請となった。２０１7年10月末、「世界の記憶」登録が決まったとき、通信使ゆかりの日韓のまちは、歓喜に湧いた。

2人は年を重ねても、通信使への思いは深い。

姜先生は、朝鮮通信使の騎船将（船頭役）であり、絵師であった卞璞（ピョンバク）について小説『柳馬図』を書き、文学賞を受賞している。審査員が、作者の名前に聞き覚えがあり、「まさか、詩人のあの姜先生か」と気づき、確認してみて、ご本人であったことに驚いたという付録までついている。釜山市立博物館では、卞璞の特設コーナーも誕生したほど、人気を集めた。

いま、対馬では建設中の市立の対馬博物館が全貌を現した。2022年4月末、オープンする予定である。同館の目玉は、近世の日朝交流史、いわゆる朝鮮通信使である。その陳列史料をどうするか。国宝クラスの宗家文書は、対馬の宝であるが、絵画、巻物、書画など視覚に訴える史料は欠かせない。それが松原コレクションにある。馬上才をはじめ、貴重な史料を集めた松原コレクションは本館ではなく、近くに建つ分館に収容して公開される。名称は対馬朝鮮通信使歴史館という。2021年10月末にオープンする。

通信使を通じた、松原氏と姜先生の友情は、終わることはない。日韓で語り継がれるドラマ性を秘めており、後々までも語り継がれるのではなかろうか。

二、壱岐――勝本で松浦藩が接待

玄界灘に浮かぶ壱岐。勝本港は北の玄関口で、風本浦ともいわれる。秀吉の朝鮮出兵の折に築かれた城壁に立ち、勝本港を眺める。港の前方に横たわる島が、屏風のように風を防いでいるように映る。丁度、風もなく穏やかな海。しかし、玄界灘は時折、牙をむく。この海域を甘く見ると、大変な目に遭う。

秋、勝本では港まつりが開かれる。祭りは行列で盛りあがる。4町合併前、その行列のなかに異国の雰囲気を漂わす小集団がいた。30人ぐらい。鐘や太鼓を打ち鳴らし、清道旗を先頭に練り歩いた。通信使が壱岐に立ち寄ったその威容を一部、再現した行列である。ハンドマイクで市山等さん（郷之浦町職員）が、通信使の歴史を紹介しながら歩いている。

通信使船は6隻。うち3隻に通信使一行が乗船する。300人から500人。「入港した通信使を上陸させるため、舟を繋いで橋として、迎えいれました」という郷土史家の説明から、それを架けた人たちの労苦を思った。舟橋は川だけでなく、港でも一時的に作られたのである。

上陸する通信使の姿を見ようと、周辺に人垣ができ、遊女も崖の上で声をかけた。遊女のみだらな姿に、通信使は驚いたらしい。宿泊先は寺や民家。港から歩いて近い。勝本には平地が少なく、崖を背に東西に広がっている感じである。

通信使船が入港した壱岐の北端、勝本港の様子

通信使は上陸時には祝砲をあげ、行列を組んで、宿泊先まで練り歩く。一行を迎える松浦藩は、連日連夜、厚いもてなしに追われた。「肥前の奉行と裁判が杉重を持ってくる」。杉重は、すきやきのような料理である。釜山の草梁倭館で、最も人気のある料理である。

壱岐から、通信使船は筑前藩領の相島に向かうが、風待ち、潮待ちに度々泣かされる。その間、無聊を晴らすために、いろいろ趣向をこらす。その一つに舞と管弦の音がある。「楽士を呼んで三絃を弾かせていると見物人が大勢集まってくる」とは、そのような場面である。これは1764年の通信使・書記、金仁謙の『日東壮遊歌』に出てくる。

勝本のまちを歩いても、通信使の歴史を知る手がかりが皆無に等しい。司馬遼太郎の『街道をゆく13　壱岐・対馬の道』（朝日文庫）に、「江戸時を通じて一貫して通信使の迎接所になっていた神宮寺ぐらいのものであった」という記述がある。しかし、いまは廃寺である。当時のにぎわいを伝える史跡がほとんどない。

壱岐は、通信使の日本使行録にどう描かれているか。代表的なものとして、申維翰の『海游録』がある。申維翰は1719（享保4）年の通信使に製述官として随行した。このとき、対馬藩の真文役が雨森芳洲だった。『海游録』には、次のように描かれている。

太守源篤信（松浦篤信）は、食禄五十万石、ここから距たること百余里の平戸島を治める。奉行を遣わして、使行を遣わして、使行のために供具をなす。山の下に使館を築き、その結構は百余間、曲々として道が通じ、障子をへだてて房があり、房には浴盥、茶湯、溷廁（かわや）を置き、その造りは精巧である。しかし三使臣をはじめ一行の上下諸人の居る所は、みな一つ屋根の内にあり、しかも地は狭隘、深遠、窮屈である。館の背後は絶壁の下で、前のひさしは浦岸に接しており、庭場がない。出入りにも天が見えず、鬱々たる感を拭いえない。

壱岐を発った朝鮮通信使は、風と潮の関係で、往路は相島に行くことが出来ず、名護屋に立ち寄り、復路は赤間関（下関）から名護屋を経由して相島に向かった。そのような例が往・復道あわせて22回中に、3回あった。

①1607（慶長12）年、第1次使節の復路
※正使＝呂祐吉、総人員504、名目＝修好・回答兼刷還
②1617（元和3）年、第2次使節の復路
※正使＝呉允謙、総人員＝428、名目＝大坂平定・回答兼刷還
③1643（寛永20）年、第5次使節の往路
※正使＝尹順之、総人員＝477、名目＝家綱誕生

【ユネスコ世界の記憶】

・朝鮮通信使迎接所絵図（土肥家文書）＝制作年代：18世紀／所蔵：土肥純子　※壱岐市指定文化財

【概要】壱岐に滞在した朝鮮通信使の客館の平面図である。三使をはじめ随員の部屋割りのほか、台所、風呂、厠（かわや）、警固（けいご）のための番所などが図示されている。また、護行の対馬藩主の休憩所や対馬藩家老の詰所も記載されている。使行年は特定できないが、第４次（１６３６年）から第11次（１７６４年）までのいずれかの使行である。朝鮮通信使をもてなすために用意された客館の様子を知ることができる。

【参考】

◆聖母宮（しょうもぐう）＝『延喜式神名帳』に載る壱岐郡の名神大社。神功皇后（じんぐうこうごう）が「三韓征伐」の折、壱岐で風待ちをした時に行宮を建てたのが起源とされる。この時、神功皇后は北へ向かうのに良い風が吹いたことから、この地を風本（かざもと）と名付けた。三韓から凱旋（がいせん）時に勝利を記念して、風本を勝本に改めたという伝承がある。

神域内に、三韓征伐の際の神功皇后の馬の蹄（ひづめ）の跡が残っているとされる馬蹄石（ばていせき）がある。ここは元寇の文永の役で、元軍上陸地でもあったとされる。

豊臣秀吉の朝鮮出兵の際に、加藤清正が奉納した正門がある。神社周囲の石垣は当時、風待ち時に配下に積ませたもの。朝鮮半島と縁のある神社である。

◆勝本城＝秀吉の朝鮮出兵に際して、本陣の名護屋城から朝鮮への経由地となる壱岐と対馬に兵站（へいたん）基地となる城が築かれた。壱岐では、島の領主である松浦鎮信（しげのぶ）が主に築城にあたった。１５９１（天正19）年夏から工期約４カ月で築かれた。１５９８年、秀吉の死に伴い、朝鮮から撤兵した後には建物は取り壊された。

三、相島――贅を尽くした福岡藩のもてなし

福岡藩は相島（古くは藍島。現、福岡県新宮町）で接待した。相島は新宮港の７・３㎞の沖合いに浮かぶ半月形の

島（周囲およそ12㎞）。渡船を降りると、近年、中澤慶輝住職（神宮寺）が建てた「朝鮮通信使 誠信交隣」の石碑（松原一征氏が揮毫）が出迎えてくれる。江戸時代、迎接準備のため城下から多数の藩士や職人が渡った。客館は一時的に作り、毀した（現在、客館跡地記念碑が立つ）。朝鮮側の書記、金仁謙は『日東壮遊歌』に、「この島の村落は極めて小さいが　館所は壮麗で　絹の幔幕をはりめぐらし　緋毛氈を敷き　寝房、渡り廊下、浴室、厠にいたるまで　すべて精巧な造りだ」「我らの一日分の食費として　銀一万両がかかるという」と記す。

その時々の天候で、事故も発生した。1719（享保4）年7月、通信使入港の1週間前、大風の中で受け入れ準備の作業中、藩士・浦水夫ら61人が犠牲になった。その墓石の一部が、島の東側の沿岸に広がる積石塚群（国指定史跡）の一角にある。

相島に立つ「朝鮮通信使客館跡之碑」と「客館図」

通信使の来日は、異文化に接触できる絶好の機会。福岡藩主の世継ぎ、幼少の継高でさえ、藩士の案内で相島の客館などを見物したことが、製述官・申維翰の『海游録』に載っている。継高は後に6代目藩主に就任し、通信使を3回接待した。城下の櫛田琴山、小野玄林、亀井南冥ら儒学者、医師らも渡海して筆談している。

その一方で、労働奉仕や荷役運搬に借り出された人たちがいた。1682（天和2）年の通信使迎接で、相島の島民延べ3850人が約2カ月間を要して2基の波止場を築造した。

福岡藩は饗応膳として、高官には儀式用の「七五三膳」、実際に食べる引き替え三汁十五菜が出された。帰路には、賄いのため食材を提供。米、味噌、醤油、酒、酢など一日につき一人当たりの分量が決まっていた。

申維翰は「新築した館は千間に近く、帳御諸物がすべて華美である」と褒めたたえ、島人の生活を一見して、「竹籬や花欄を見るに、眼に触れるもの画の如く、その中であるいは対坐して碁を囲み、碁石の音の丁々たるを聞くのは、東坡翁の白鶴観の思いがある」と感想を述べている。

強風と波浪のため相島に10日間留まった後、申維翰の乗った通信使船は赤間関（現、下関）に向かう。途中、芦屋沖で大風雨に阻まれ、地島（現、宗像市。鐘崎沖）に緊急避難し、殿様波止から上陸した。地島は「地は狭くして陋、憩うべき館舎もない。居民は数十戸、草屋は蕭然としている」。西光寺に国書を安置し、寺や民家に泊まった高官らを除いて船に戻った。地島に8日間足止めを食らった後、福岡藩に護衛されて小倉沖まで行き、小倉藩の迎護船と交替した。福岡藩領を通過するのに18日間もかかっている。

【ユネスコ世界の記憶】

- 福岡藩朝鮮通信使記録（黒田家文書）＝制作者：福岡藩／制作年代：１７６３、１７６４／所蔵：福岡県立図書館
- 小倉藩朝鮮通信使対馬易地聘礼記録（小笠原文庫）＝小倉藩／１８１１／福岡県立育徳館高等学校錦陵同窓会、みやこ町歴史民俗博物館寄託　※福岡県指定文化財

○福岡の歴史散策

⑴　儒学者や文人ら続々と渡海

福岡藩は、幕府から大任をおおせつかり大変な目にあったが、儒学者や文人にとっては通信使と唱和できる絶好の機会となった。相島には主立ったところでは、

１６８２（天和２）年　貝原益軒、貝原耻軒、鶴原九皐、竹田春庵

１７１１（正徳元）年　神屋松堂、釈鉄相、竹田春庵

１７１９（享保４）年　櫛田琴山、古野梅峰、小野玄林
１７４８（延享５）年　島村晩翠、井土周道、櫛田菊潭

といった儒学者や文人、医師らが訪れて、筆談を行い、漢詩文を交歓している。韓使との唱和は、名声を得る絶好の機会だった。「貝原益軒は甥の貝原耻軒、門人鶴原時敏（※九皐のこと）を伴い、書記・李鵬溟と筆談や詩の唱酬で歓待した」（『新版　朝鮮通信使往来』辛基秀、明石書店）。益軒は「一行文人中、讃善せざるはなし」と、その学才を称賛された。応接する通信使の製述官は、遠近から詩を求める者が後を絶たず、紙幅を案上に積みあげて書を乞う。書き終われば薪を積むが如くにまた集まってくる状況に、悲鳴をあげている。

従者４、５人を連れた幼い貴公子、黒田継高も興味を抑えられぬのか、お忍びで訪れている。このとき、申維翰は、桃花箋を出して絶句二首を写し、継高に贈った。

「海上碧桃花　千年一結子
仙童在樹間　顔色花相似」
「我是三韓人　乗槎到仙界
邂逅不能言　見君如見画」

すると、継高は長く跪いて拝み、そしてこれを懐にいれて立ち去ったという。

福岡藩の藩士や人夫たちが渡海して、通信使を迎え入れる客館などを建設した。ただ、長い間、客館跡を「有待邸（ゆうたいてい）」と誤解していた。その場所は港から約30分も離れた、坂道をあがった島の中央部なのである。他の寄港先と比べて、余りにも遠すぎる。元教育者で、海事史研究家の高田茂廣さんが瀬戸内海の港町にある客館と比較して、疑問視していた。

１９９４年の発掘調査で、上陸用の雁木（石段）が二基ある島の西南側の、神宮寺近くに客館が建てられた柱跡や井戸が発見された。さらに調査が進むなか、「有待邸とは島の庄屋格だった吉村如助翁の戒名の上につけられ

た号であることが判明した」（『図説朝鮮通信使の旅』〈明石書店〉に所載、西田大輔「遺構・遺物が語る朝鮮通信使」）

近年、今村公亮さんらの呼び掛けで「相島歴史の会」を結成。通信使の歴史を掘り下げている。1719（享保4）年、通信使迎護の準備の際、海難事故が発生。61名が溺死した事故だが、その供養塔をもとに経過を調査・研究し、300回忌供養会も実施した。草創期を担った篠崎寅喜、花田和博両氏の功績を着実に広げている。

(2) 通信使に称えられた亀井南冥に奢りが

金龍寺（福岡市中央区今川2丁目）には福岡藩の儒学者であり、本草学者である貝原益軒の墓がある。大通りをはさみ、金龍寺の斜め真向かいにある浄満寺には、医者で儒学者であった亀井南冥（かめいなんめい）の墓がある。貝原益軒同様に南冥も相島に渡り、通信使に自身の若かりし日につくった漢詩文集をみてもらい、彼らに絶賛された。南冥の漢詩文の才能に感じ入った通信使は、南冥の名前を行く先々で広めた。それがもとで、亀井南冥に奢りが出た。その事情を書いたのが、石川泰成・九州産業大学教授の論文「亀井南冥と朝鮮通信使との応酬唱和をめぐって」である。それを参考に、南冥の奢りに触れたい。

「余　日本に至り、奇才二人を見たり。筑州の亀井魯・西京の那波師曾なり」といったのは、通信使書記の成大中（1764年来日）である。日朝友好を演出することとして盛んに行われた応酬唱和とは、日本の文人が差し出した詩に通信使側が即座に和韻して返すと、それにまた日本の文人が応酬して返す。これが出来ない日本の文人が多く、朝鮮側は内心では笑っていた。その中で、南冥はすばやく応酬して、通信使を驚かせた。「大いにへこみたる様子」を見せるほどだった。

それから「『夫迄は九州の人にて、未だ上方には名を知る人少なし』と聞こえしに、此朝鮮人の誉しより、俄に亀井の名、諸国に響きし由なり」と、日田・咸宜園（かんぎえん）の広瀬淡窓は書いている。

これによって、南冥は、自分の才を恃んで傲慢になったようで、先輩を無視するかのごとき態度を取る。これが波紋を呼ぶ。

当時、町医でしかなかった亀井南冥は、通信使が亀井を持ちあげ、各地でその名を称えたことから、国内の文人の間で話題にされることになり、藩の儒学者の顔に泥を塗る事態へと発展する。ここから、藩内で、南冥への反発が生じ、成大中が予見していた「礼を大邦の君子に失わんことを恐る」ことが現実化してしまう。

南冥の才能をねたんだのは、藩の儒学者のなかの腐儒である。それを煽ったのは、もちろんのこと、南冥自身の驕りであった。

人が試されるのは、幸福の絶頂にあるときである。そのとき、どんな態度に出るか。その人の真価が問われるときである。南冥は、その一点で失敗した。

四、赤間関（下関）——記念碑「朝鮮通信使上陸淹留之地」を建立

朝鮮通信使が本州で最初に上陸した赤間関（現、下関市）。毛利藩が阿弥陀寺で高官たちを接待した。明治時代の廃仏毀釈（はいぶつきしゃく）・神仏分離で、同寺は赤間神宮になった。その際、阿弥陀寺の寺宝什器をはじめ通信使高官が詠んだ漢詩文も散逸し、行方不明となった。現在、水天門の脇に「阿弥陀寺跡」と刻んだ石碑が立つが、地名の阿弥陀寺のほかに、当時の様子を伝える史料は、赤間神宮に伝わる任守幹（1711年の副使）の詩文（「世界の記憶」登録）だけである。通信使の中・下官が宿泊した引接寺（いんじょうじ）を訪ねて、当時をしのぶしかない。

申維翰の『海游録』には上陸時の有様が、次のように描かれている。

夕暮れに赤間関の前湾に着いた。湾堤ははなはだ壮にして、一抱えもある木を数十、数百株と連ねて水中に挿して列べ、その上に白い板を鋪き、縦横それぞれ十余間、岸と平直にして寸分の高低もない。板上には浄席を敷き、まっすぐに使館にいたる。

赤間神宮の手前にある記念碑「朝鮮通信使上陸淹留之地」

かつて郷土史家の前田博司さんは『下関民俗歳時記』『豊浦郡安岡村郷土誌』のなかに、下関にある住吉神社の行事として「唐人踊」が幕末まで演じられていた事実を発見した。さらに、通信使の童子から教わった対舞を、安岡脇浦地区が祭礼に再現したのが唐人踊の始まりだったことも確認し、長年の成果をもとに地元紙・長周新聞に連載（1996年6～10月）を掲載した。

赤間神宮前に2001年8月下旬、「朝鮮通信使上陸淹留之地」と刻んだ石碑が建立された。戦時中から朝鮮半島から渡日する朝鮮人の上陸の窓口となっていた下関市には、関釜連絡船が行き来する姿はあっても、日韓交流の歴史を今日に伝えるモニュメントはなかった。これを残念がる駐下関韓国名誉総領事の井川克巳さん（同年9月3日死去）らが呼びかけて建立期成会を結成し、建立を目指した。市役所、市民、各分野の事業者、韓国民団のメンバーらが会員となって基金をつくり、記念碑建立にこぎ着けた。

記念碑は高さ1・8m、幅5・4m。韓国・京畿道産の青御影石に、刻まれた「朝鮮通信使上陸淹留之地」。淹留とは高貴な人がその地にしばらく留まるという意味で、同市在住の直木賞作家の古川薫さんが命名した。筆は、韓国の金鍾泌元首相である。日本語、韓国語で併記された碑文を読みながら、「下関市で忘却されていた通信使が蘇った」と心のなかで喝采した。

この記念碑建立に、ことさら感激したのは前田さんと朝鮮通信使研究家・辛基秀さんだった。1989年12月、長府博物館で開催された「朝鮮通信使展」での出会いをきっかけに、辛基秀さんの激励を受けて、前田さんの通信使資料の掘り起こしが始まったという話をご本人から聞いたことがある。

【ユネスコ世界の記憶】

- 正徳元年朝鮮通信使進物目録　毛利吉元宛＝制作者：通信使／制作年代：１７１１／所蔵：山口県立山口博物館　※重要文化財
- 朝鮮信使御記録（県庁伝来旧藩記録）＝長州藩／１７１１、１７１２／山口県文書館
- 延享５年朝鮮通信使登城行列図＝郡司某／１７４８／下関市立長府博物館
- 朝鮮通信使副使任守幹 壇浦懐古詩＝任守幹／１７１１／赤間神宮　※下関市指定文化財
- 金明国筆拾得図＝金明国画　無等賛／１６３６か、１６４３／長府博物館
- 波田嵩山朝鮮通信使唱酬詩並筆語＝南玉、成大中、元重挙／１７６３、１７６４／波田兼昭、長府博物館寄託　※下関市指定文化財
- 宝暦14年朝鮮通信使正使趙曮書帖＝趙曮／１７６４／長府博物館

▽阿弥陀寺が消えた。その裏に明治の大改革が

下関（山口県）の阿弥陀寺について、調べた。江戸時代、12回来日した朝鮮通信使の宿舎となった寺である。関門海峡から上がり、歩いてわずかの場所にあったはず。今では、地名が残るだけで、その姿はない。１８７０年に神仏分離、廃仏毀釈により天皇社となり、のちに赤間宮（のちに赤間神宮）に替わられ、廃寺となっている。

阿弥陀寺の歴史は古く、８６６年、僧の行教を開基として開かれた。鎮守社として八幡宮を勧請。いわゆる神仏習合である。１１８５年、壇ノ浦の戦いで入水・崩御した安徳天皇を山麓に葬る。１５１６年、大内氏の家臣が極楽寺を建立。幕末、奇兵隊が一時的だが極楽寺に駐屯している。

阿弥陀寺は、江戸時代から町名として使われてきた。いわゆる阿弥陀寺町である。終戦間際、空襲で町の大半

を焼失したが、数年後に復興する。

この町は元来、下関ではなく、豊浦郡赤間関に属していた。その界わいは、かつては船問屋や魚屋、料理屋が多かった。その名残として、現在も料理屋が残っている。

江戸時代、朝鮮通信使の宿泊先となった阿弥陀寺は、明治の神仏分離・廃仏毀釈で姿を消したが、この界わいは後にも多くの名士が足を止めている。その中心が本陣・伊藤邸で、明治天皇も宿泊したという。

明治の世になると、政府は江戸時代の仏教統制を、神社の氏子制度へと変えた。その象徴として天皇制が浮上し、「神聖にして侵すへからす」という欽定憲法が誕生する。

アジア思想史に詳しい沖浦和光氏が興味深い話をしている。野間宏との対談『日本の聖と賤　近世編』（人文書院）のなかで、欽定憲法に続きとして、こう話す。

近世の入口で信長や秀吉がやった天皇復活劇を、もう一度新たな次元で大がかりに演出する。神祇官を律令的な神祇省に改組し、全国民を神社の氏子にして維新後の国民教化のイデオロギー的な軸に据えます。それと同時に廃仏毀釈をやって仏教を抑え込み、さらには儒教にも圧力をかける。それからまたいろんな土俗信仰とか民俗芸能も、文明開化にふさわしくないという理由でやめさせる

ここまで読んで、明治維新政府が断行した、欧米文化を模倣した近代化改革が、異常な熱気をはらんでいたことが分かる。文明開化とは、伝統文化の破壊であった。反近代的、封建的なものは時代遅れという烙印を押して、徹底的に解体している。この急激な変化が、のちに何をもたらすか。ここが、大切なところである。

五、上関——お宝「朝鮮通信使船上関来航図」あり

鳩子の湯、鳩子のてんぷら……かつてＮＨＫ朝ドラの人気番組『鳩子の海』の舞台にもなった島だからであろ

う、「鳩子」の看板が目に付く。ここ上関（かみのせき）（山口県熊毛郡）は、瀬戸内海の要衝、村上水軍が拠点とした島である。そこに江戸時代、大坂をめざす通信使船が往路は必ず寄港した。それがために、萩藩、岩国藩は接待に万全を期した。

　その様子は、上関の御茶屋や街並みを描いた岩国徴古館所蔵の『上関御茶屋仕構之図』、それと作者と製作年未詳の古図を見るとよくわかる。１７４８年、通信使の画家・李聖麟が船上から描いた上関鳥瞰図（ちょうかんず）（正式には『槎路（きろ）勝区（しょうく）図画集』）もある。

通信使上官の宿泊所、上関御茶屋の正門石垣

　通信使上陸用の唐人桟橋である唐人橋、神社での航海の無事を祈る祈願、接待に当たる役人の健康を管理する小泉家まであてている。通信使の客館となる御茶屋の造りには気を使ったと思う。上関御茶屋跡の説明板にこうある。

　『節約令』のおりにも通信使を厚く接待し、幕府より賞賛の言葉をたまわった。御茶屋跡は（中略）三千坪におよぶ

　官職に合わせて整備された宿泊所。常設のものが大半だが、一時的に建てて壊すものもあった。将軍献上品の鷹や、江戸で曲芸を披露するための馬まで、朝鮮から舟で運んだが、その世話小屋が、上官の宿泊する御茶屋の下に建てられている。

　離島。水の確保も切実である。御茶屋のそばに井戸を確保するのは常識として、万一に備え、水船も本土から走らせる。上関では、その数75隻にのぼったという。通信使は先を急ぐ。海路で大坂を目指し、さらに陸路で江戸まで行く。風波で行く手を阻まれない限り、先を急

ぐ。上関で、長い滞在は4日から5日ぐらい。復路、帰国を急ぐ通信使は、寄港先に上陸せずに通過したり、寄港しても沖に停泊して、燃料や食糧を要求するケースが往々にしてある。その準備も怠ることはできない。

町のお宝「朝鮮通信使船団上関来航図」を所蔵する超専寺は、古くは海岸近くにあったが、現在ではそれより内陸部にある。焼失後、復元されたからである。

この「上関来航図」は、上関長島に入港する通信使と長州水軍の船団を描いた絵画である。縦90㎝、横110㎝のなかに、船が100隻ほど描かれている。海から陸を描く手法である。左手の中ほどに、上陸する唐人橋、その北側には、通信使の高官が宿泊する御茶屋がある。陸地は、白壁が左から右へ、上方の画面全体に、広がるように存在する、当時のにぎわいが手にとるように分かる。しかし、人は描かれていない。米粒のように、極小にしか描けないので避けたのであろうか。

1711（正徳元）年、上関長島入港の折、長州藩の関船、通船、小早船など合計655隻、総勢4566人で通信使船を誘導している。

「上関来航図」は、ユネスコ世界記憶遺産登録された。この絵画は、豊後（大分県）・竹田の文人画家、田能村竹田が描いたといわれるが、実際は、その弟子が書いたというのが真実のようだ。絵にある「辛巳仲夏四月竹田生写」の落款（らっかん）が、どうも紛らわしかったようだ。

通信使研究家の辛基秀氏の『新版　朝鮮通信使往来』（明石書店）には、次のように記されている。

前住職高月秀山氏の話では、1821（文政4）年、竹田が対岸の室津に滞在中に想像で描いたものを、先々代の住職高月延治氏が萩で購入したものである。

しかし、1821年には、通信使の来日はないため、作者が史料をもとに描いたと考えられる。絵が細密であるが、そこまで描けるには史料が不可欠である。

斜面に立つ超専寺。山門に立ち、振り返ると海岸線に至る家並みがみごとである。秀吉が朝鮮出兵の拠点・名護屋城（佐賀県）に向かう途中に立ち寄った寺でもあり、山号を「踊堂山」という。山門の手前に縦長の石があり、そこに「踊堂山超専寺」と刻まれている。これは秀吉が、ここで、「常盆や石仏等踊堂」という歌を詠んだことに由来する。超専寺裏に踊り堂と呼ばれる墓所があるそうで、それが秀吉の目にとまって歌となった。

超専寺は萩藩主名代の宿所。平和の使節を迎える陣頭指揮をとる家老の本陣である。歴史の光と影をあわせもつかのような寺である。

上関では、朝鮮通信使仲間の安田和幸さんと井上美登里さんの、2人の世話になった。通信使の史跡保存や活用に長年、取り組んでいる2人に付いて町を歩いたが、さすが長年通信使に取り組んだ方である。地表をはがすように、江戸時代の歴史が蘇って来て、楽しかった。

上関には最近、道の駅も出来、町のにぎわいの拠点となっている。

阿弥陀寺に上がり、斜面を東行して、御番所（旧上関番所）にも行った。通信使が来ると市中見回りを役目とする役人が詰めた建物である。そのそばに、「青泉申秘書」の漢詩と、その解説書きが石碑に刻まれている。作者は、1719年の通信使・製述官、申維翰。宿舎を訪れる日本の儒学者たちとの交歓の思いを綴っている。

阿弥陀寺の下に、遊郭があったと聞き、これは、港まちに共通した特徴だろうと思う。玄界灘の壱岐、瀬戸内の牛窓でも、その話を聞いた。諸国の商船が入り、漁船が入る。閉ざされた船から出た彼らは、遊郭で解放感を味わったのだろうか。

◎御茶屋跡＝海岸線の3千坪に、御茶屋（迎賓館）と呼ばれる御殿や客館、長屋敷、番所が建てられた。江戸時代、萩藩の迎賓館として使用され、藩主はもとより参勤交代の諸大名、朝鮮通信使などが宿泊した。現在、熊毛南高校上関分校となっている。

◎阿弥陀寺＝通信使に随行した以酊庵（対馬・西山寺にあった、京都五山僧侶の詰所）の僧侶が宿泊したところでもある。

1643（寛永20）年の第5次通信使の使行録には、こうある。

鞆ノ浦の水辺にある人家は千戸を下らず、灯火の明るく輝くさまも上関に次ぐものがある

上関が当時栄えていたことが伺える。申維翰の『海游録』には、「館宇は新築ではなく、周防州太守の茶屋である。屏帳や器具は赤間関に及ばず、左右の民屋もきわめて少ない」と記されている。毛利藩では、御茶屋は朝鮮通信使専用ではなく、迎賓館として使用していた。

上関には、能島水軍村上義顕の居城、上関城がある。巨岩が頂にそそり立つ上関城跡。航行する船から通行税を徴収するには、海峡を見渡せるこの高台はいい。秀吉の海賊禁止令まで、水軍の攻防は続く。遠くの山々が望める。「向こうの平生町には百済部（くたなべ）神社があります」。案内してくれた安田さんと井上さんの話を聞いて、朝鮮渡来人の存在を感じる。百済滅亡で、遺民が渡って来たからではないか。

【ユネスコ世界の記憶】

● 朝鮮通信使船団上関来航図＝制作年代：18世紀／所蔵：超専寺　※上関町指定文化財

六、下蒲刈島――「御馳走一番」と称えられる

下蒲刈島（広島県呉市）は、朝鮮通信使のもてなしで、蒲刈御馳走一番と称えられた島である。儀礼用の引き換え膳の後に出された、山海の珍味を集めた豪華膳である三汁十五菜には、通信使も驚いた。下蒲刈島には、大きな橋を渡って入り、平地の町に入る。やや小高い斜面を通るころには、左手に通信使一行を迎えた客館が帯状に広がる集落が目に入ってくる。

三之瀬から入港すると、海岸線には通信使が上陸した福島雁木、対馬守が専ら使う対馬雁木がある。そこから上がると、当時、客館まで伸びる緋毛氈が通信使高官を誘導した。その様子を再現した模型が、御馳走一番館と

いう資料館に陳列されていた。隣国の外交使節を丁重に迎える姿勢が、伝わってくるような模型である。

蘭島文化振興財団・松濤園が営む御馳走一番館の庭には、大きな石像が立つ。王陵を護衛する武人像である。話によると、もともとは朝鮮の品である。松の植わる庭から館の姿を眺めると、純日本家屋の楚々とした佇まいが心を和ませる。富山の古民家をわざわざ移築したものである。

館の中には、通信使船の縮小模型、復元した饗応料理など、数多くのレプリカが並んでいる。圧巻は「朝鮮人来朝覚備前御馳走船行烈図」である。日比（岡山県玉野市）の沖を通過する6隻の通信使船と警固する船団を細かく記録した絵巻である。四宮家に伝わる品で、長さは８ｍを越える。

接待役の浅野藩は、第8次（１７１１年）の通信使を迎えるため、１３５隻の船と７５９人を三之瀬に投入している。通信使の入港は、たいてい日が落ちた頃になる。そのため、かがり火をたき、提灯に火を灯し、煌々と周囲を照らし出す。まるで、昼が戻って来たような明るさであった。

◎御馳走一番館＝通信使に随行した対馬藩主は、下蒲刈島の接待を「安芸蒲刈御馳走一番」と絶賛した。料理を含めた接待について、広島藩の下蒲刈が最高だったという意味である。通信使のうち、正使、副使、従事官の三使が口にした三汁十五菜（汁物3種類と料理15種類）を再現している。銀糸卵を敷いたタイの姿焼き、キジ肉のつけ焼き、鶏肉のくし焼き、タラのすまし汁、ヒラメの刺し身、カモ肉なます、厚めに切ったアワビのしょうゆ

通信使の史料を展示する御馳走一番館

三汁十五菜で、通信使を饗応〈レプリカより〉

煮など。豪華な料理である。

◎福島雁木＝福島正則が、当時、幕府の命令により、海域の警護のため、三之瀬に拠点を置いた。船が多数出入りしている。この雁木はその福島正則がつくったものとされている。朝鮮通信使や参勤交代する西国街道の大名も蒲刈に寄り、ここより上陸した。作られた当時は１１３ｍ11段といわれている。現在は55・５ｍ13段。正面に御茶屋（もてなしをするところ）があったようだ。

客館は御茶屋といい、下蒲刈島では本陣と対馬守宿所の上に設定されている。御茶屋は、雨縁・広縁をめぐらせた15畳の書院と、それに続く10畳が正使の館所。奥まった15畳が副使の間。さらに東南８畳が従事官の間となっている。通信使一行の客館は他に、上・次官小屋や、中官小屋、下官小屋などが周辺に設定されている。

通信使の足跡をたどり、海岸線に沿った御影石を敷き詰めた通りを歩き、雁木、常夜灯、井戸などを見学した。純日本風の家屋が立ち並ぶ姿は見事である。

【ユネスコ世界の記憶】

- 朝鮮人来朝覚　備前御馳走船行列図＝制作年代：１７４８／所蔵：呉市（公財）蘭島文化財団管理　※呉市指定文化財

▽俳優ユン・テヨンも驚いた饗応料理

下蒲刈島に伝わる朝鮮通信使の史跡を、呉観光ボランティアの会・副会長の案内で見終わったとき、日が落ちて周囲はすでに暗くなっていた。百雁木の先の波戸に立つ常夜灯に明かりがともると、港の風情はひときわ映える。島には、柴村敬次郎さんがいる。通信使ゆかりのまち全国交流大会が、この島で開かれたとき、史跡を解説しながら歩かれた姿が目に浮かぶ。さすが、朝鮮通信使研究家である。長年の研究成果が凝縮した内容だった。

この大会で、通信使関係地域史研究会は、フィールドワークを行った。そのとき訪ねた場所を古い大会冊子をめくりながら確認すると、以下のようになる。

通信使記念庭園→松濤園（陶磁器館、御馳走一番館、あかりの館、復元・蒲刈島御番所）→朝鮮通信使行列出発式→通信使の歌碑→常夜灯→蒲刈島御番所跡→対馬雁木→福島雁木→県史跡・三ノ瀬御本陣跡→上御茶屋へ上る石段→県史跡・三ノ瀬朝鮮通信使宿館跡→本陣井戸→侍屋敷→弘願寺（国指定登録有形文化財「観瀾閣」、史跡・丸屋城跡）→朝鮮通信使行列イベント会場

これを一人で案内して回ったのであるから、何とも精力的である。いま、このコースが通信使の史跡をたどる下蒲刈島のモデルコースでもあろう。

下蒲刈島では毎年10月、朝鮮通信使行列を開催している。駐広島韓国総領事館や大韓民国民団広島県地方本部の方々が来島し、日韓交流の友好イベントを繰り広げている。

韓流俳優ユン・テヨンも、日韓合作映画『李芸――最初の朝鮮通信使』の撮影で、この島に入り、御馳走一番館を見学した後、もてなし料理・三汁十五菜を食べている。豪華な饗応膳に感動し、舌鼓を打つ。山海の珍味を並べた料理に、鯛の刺身がある。それを食べたとき、わさびが効いたらしく、顔をしかめている。しかし、豪華な食事に「美味しい」と連発していた。

通信使が寄港する港町では、他藩と競いながら御馳走を競った。上関で迎接を担当した岩国藩の吉川氏は、朝鮮人の食の好みを調査している。肉は牛カルビ、魚は鯛がナンバーワンであった。その調査も参考に料理を作るが、朝鮮人にとって日本の料理はあっさり味、淡泊すぎて、食もすすまなかったようである。

やはり朝鮮は「辛」の国である。刺激のある料理を好んだため、食材をもらって、一行に帯同した料理人が、朝鮮の料理をつくりだし、これを好んで食べている。当然といえば当然である。

不評だった日本料理の中で、杉焼が好評だった。いまでいう「すき焼き」である。この味噌風味を、朝鮮人は好んだ。

七、鞆の浦――対潮楼の眺め「日東第一形勝」と絶賛

日本には古い街並みが各地に残っている。鞆の浦（広島県福山市）も、その一つである。ここを舞台にした『崖の上のポニョ』をつくった宮崎駿監督は、その準備のため2カ月間、仮住まいした場所である。鞆の浦が気に入った宮崎駿監督は、地元が再開発問題で揺れたとき、反対運動の声を上げている。

日の出を眺めるのにいい、やや高層のホテルがある。期待して、早朝、屋上の展望風呂にあがった。弁天島、仙酔島の向こうに広がる水平線から、日があがる。その日は、雲が帯状に水平線にかかっていた。朝日が顔を出すまで、時間がかかった。湯船につかり、日の出を拝む気分は、すがすがしく気持ちがいい。

朝鮮通信使高官が宿泊した福禅寺は、石垣で築かれた崖の上にたつ。周囲に湾岸道路がカーブを描いて走っているが、その道路は後世の埋立地。昔は崖下まで、波が打ち寄せていたそうである。

かつて観音堂と呼ばれた福禅寺に上がる。本尊は千手観音と珍しい。眺めのいい対潮楼に真っ直ぐむかう。思わず、歓声をあげたくなる。通信使の高官を魅了した絶景。「日東第一形勝」という扁額がかかる。この言葉も、「対潮楼」という楼閣名も、ここに宿泊した通信使の高官が命名した。朝の静かな時間。10ｍは超える横長の窓枠の中に、穏やかな瀬戸内の名勝が収まっている。中国の岳陽楼にも勝るとも、劣らぬ光景と高官は称えた。

　遥かに広々と見える最上の見晴らし台に、8つの窓のすだれを天に倚せて開く。煙は浦の尽きる彼方にたなびき夕暮れの輝きにきらめく

漢詩を読み下した文であるが、情景が浮かぶだろうか。

1655（明暦元）年の通信使・従事官の南龍翼は「見聞別録」に、次のように記す。

山号海吟山という福禅寺がある。その崖の上から下を臨めば大海の爽やかな概（おもむき）は比べるものがない。伊予の国の島々が環状に筋状に並び、西南には視界は千里雲や烟が立ったり消えたり、ただならぬ絵のような景色

である。東には猿山があり、老松奇岩をもつ絶景である

対潮楼から見ると、対岸に浮かぶ弁天島、仙酔島の眺めが見事である。

鞆の浦は、通信使を魅了した風光明媚な地とあって、多くの文書が伝わる。古文書解読に貢献された池田一彦氏亡き後、鞆の浦の通信使研究については戸田和吉さんが牽引している。福山市職員時代、埋蔵文化財調査などを担当した現場第一主義の人。鞆の浦とは町並み保存で深くかかわった。だから町に詳しい。案内してくれたコースは、福禅寺、鞆城跡と鞆の浦歴史民俗資料館、母屋や保命酒醸造蔵など9軒から成る太田家住宅、常夜灯と雁木など。ときに狭い路地を歩きながら聞いた説明には、鞆の浦への深い愛情が感じられる。

万葉歌人によく歌われた鞆の浦。その文学的風土を愛でる「鞆の浦万葉の会」もある。福禅寺を訪れる坂本龍馬ファンもいる。「いろは丸」(大洲藩から龍馬が借りた蒸気船)が紀州藩の船と衝突して、沈没。その賠償交渉の場だったからだ。鞆の浦の見どころは多い。

【ユネスコ世界の記憶】

●福禅寺対潮楼朝鮮通信使関係資料＝制作者：趙泰億、李邦彦、洪啓禧ほか／制作年代：１７１１、１７４７、１７４８／所蔵：福禅寺　福山市鞆の浦歴史民俗資料館寄託　※福山市指定文化財

▽通信使研究で、名勝地・鞆の名を高める

古文書を読む。書画を解読・鑑定する。その技を習得するには、長い鍛錬が必要であろう。

通信使も絶賛、福禅寺対潮楼からの眺め

朝鮮通信使が立ち寄ったまちには、それに精通した研究者がいる。毎年1回開かれる、ゆかりのまち全国交流大会で、各地を訪ねた折、詳しい現地解説を、その人たちから聞いた。その一人、鞆の浦歴史民俗資料館（福山市）を舞台に、長年、通信使史料を調査・解読してきた池田一彦氏には、全国交流大会で度々お会いして、畏敬の念を抱いた。おおらかな人柄に惹かれて、多くの方が集まり、夜の交流会は盛況だった。

通信使研究を辛基秀先生と牽引してきた仲尾宏先生（京都造形芸術大学教授）と共に、池田氏は朝鮮通信使研究部会を前へと進めた。ご本人も鞆の浦に伝わる通信使史料の解読成果を、随時発表されていた。

池田氏は、仲尾先生と同じ同志社大学の出身。卒業後、故郷の福山市に帰って、中学校教員を長く勤めた後、市教育委員会に移り、郷土の文化振興に貢献される。その後、通信使を通じて2人は交流を深めた。

２０１２年12月20日、池田氏は亡くなられた。「池田さんのご精進の結果として、現地にすぐれた後進の方々が少なからず登場しておられる」と仲尾先生は追悼の言葉を述べている。

２０１０年、福山市内で「朝鮮通信使屏風」が発見されたことについて、池田氏が研究部会報第13号（２０１１年４月30日発行）に詳細な解説記事を書いている。その中に、１９９０、91年に実施された広島県史跡「朝鮮通信使宿館跡（鞆対潮楼）」解体修理事業に触れて、こう書いている。

福禅寺にとっては、檀家は数軒で寺院負担の5千万円は募金に頼る修理事業であり、文化財担当の私も悪戦苦闘の連続

池田氏は同館の指導主事として、副館長として奮闘された。この募金活動は、これを支援した辛基秀先生から話を聞いていたので、その中心にいた池田氏の苦労は並大抵でなかったと想像する。

鞆の浦に行き、通信使の書いた「日東第一形勝」の木額が掲げられている対潮楼に座り、窓の向こうに広がる絶景をみる度に、修復事業を動かした池田氏を思い返す。

通信使が寄港した瀬戸内海の港町は、いずれも景勝地である。観光のまちとしても知られている。その中で、

歴史的史料を読み解き、その成果を郷土の文化発展につなげていった池田氏のような方々が、通信使研究部会に多々いるのである。その方々は、郷土の宝として、後世に語り継がれる存在であろう。

八、牛窓――通信使の対舞が唐子踊りに

牛窓（岡山県瀬戸内市）は、日本のエーゲ海。地元では、そのようにPRしている。宿泊先のホテルリマーニは海の傍に立ち、潮騒を聞きながら過ごせるいい場所にある。自然と、通信使船が停泊した当時に思いが走る。

目指す朝鮮通信使の資料館「海遊文化館」は、ホテルのそぐそばにあった。ありがたいことに、旧牛窓町で教育・文化行政に尽力された高橋重夫さんが案内に立ってくれた。退職後は史跡ガイドをしている。同館で挨拶した後、唐子踊りを紹介するＤＶＤを鑑賞した。この踊りは、厄神社の秋祭りに奉納される稚児舞である。

異国の踊りであることは、衣装からも分かる。赤と黄色、紺が目立つ服。帽子はカラフルな色合いで、瑞雲文様が描かれている。幼い踊り子は、顔に白粉を塗り、額の中央に朱で十字架を描き、下頭と目じりに少し朱をさしている。大人に肩車されて、会場に現れる。

その由来について、神功皇后にちなむ説も伝承としてあるが、歌、踊りの動作、衣装に朝鮮王朝時代の面影があることから、これを詳しく探った教師・西川宏氏が朝鮮伝来、それも来日した朝鮮通信使との関連で裏付けた。

海遊文化館は、牛窓と通信使の関係について知る資料が整い、街歩きする前に、いい勉強になる。その後、ただちに通信使高官が宿泊した法華宗の古刹・本蓮寺を訪ね、藩の重臣が通信使高官と交歓した謁見の間を見た。小堀遠州の作といわれる庭園も見物した。ただ、残念だったのは、通信使が残した書を見れなかったことである。寺の中を見物するにも、事前予約が必要で、当日直接訪ねても、中に入れない。牛窓の通信使史跡を訪ねる中で、本蓮寺は大きな位置を占めているのだが……。

牛窓の本蓮寺。通信使の宿泊所となった

「皆さん、いい時間帯に本蓮寺に来ましたよ。この先の高台から夕陽に映える港が眺められますから」。高橋さんの声に、本堂から三重の塔が立つ高台に急いだ。港町の夕陽は、まぶしかった。赤く染まる三重の塔は、なかなか見応えがある。

朝鮮通信使の高官が本蓮寺に泊まったのは、1636年と1643年の2回。後は、池田藩主の別荘、お茶屋でもてなしを受けた。高官以外は、本陣や一般民家に分宿した。江戸へ向かい、江戸から下向する通信使が入港する度に、民衆は宿を提供するために、仮住まいを強いられ、さらには労役も要請された。

このように当時、沿道の民衆は異国の使節を歓迎する反面、嫌な思いも味わった。しかし、藩の儒学者にとって、通信使との筆談による唱酬は、大きな楽しみであった。藩儒の富田元真、小原善助、松井七右衛門(可楽)らが宿を訪ね、美酒を酌み交わし夜遅くまで交流している。

通信使の製述官、申維翰は、「松井氏という人あり、可楽と号す。ときに齢八十余。よく詩を吟じ問うことを好み、いよいよ久しくして倦むことがない」。可楽こと、松井七右衛門は80歳を越えて、なお意気盛んだったことが分かる。彼にとって、通信使との歓談は終生の誉れであったに違いない。

朝鮮の高貴な女性が乗った虚ろ船が流れ着いた伝説を聞きながら、その女性を葬るという祠も見学した。道筋に朝鮮場様という石碑が立っていた。訪れる人も稀であろうし、そのような漂着伝説も忘れられていると思う。

町歩きは、通信使が牛窓を離れ、東行する道筋となる狭い海峡を確認した後、ホテルへと引っ返した。途中、遊郭跡を見て、古宅が続く旧市街を歩いた。大きな屋敷が点在するし、白壁の蔵も残っている。江戸時代、大火もなかったのであろう、古い家並みは見事である。「牛転」という看板を掲げる喫茶店もあった。転と書いて、「まろぶ」とよむ。転倒する、ころぶという意味だが、これも牛窓の地名の由来の一つである。

牛窓でも、勇壮なだんじり（山車＝だし）が練り歩く。龍頭など見事な彫り物で飾っただんじりを格納する倉庫が、民家の一角にあった。ただ、祭りを続けるにも、曳き担ぐ若手が姿を消し、この存続に地区は頭を痛めている。牛窓でも、人口減、高齢化が顕著になっているという。

【ユネスコ世界の記憶】

●本蓮寺朝鮮通信使詩書＝制作者：申濡、朴安期、趙珩ほか／制作年代：1643、1655、1711／所蔵：本蓮寺　岡山県立博物館寄託　※岡山県指定文化財

▽漂着した高貴な朝鮮女性。その祠が

かつて福岡で会った韓国・昌原大学の都珍淳（トチスン）教授から、「対馬には朝鮮国王姫の墓があると聞きますが、御存じですか」と尋ねられたことがある。調べてみると確かに、墓は上県町（かみあがた）に存在するのである。

牛窓には、朝鮮から虜ろ船に乗って流れ着いた女性がいた。この方が、朝鮮国の王女だった。真偽のほどは、分からない。「朝鮮馬場」という小さな祠がある。祠には、朝鮮の高貴な女性が埋葬されている。彼女は秀吉の朝鮮侵略の渦中、虜ろ船に乗って流れ着いた。それを発見したのが地元の大庄屋・東原家で、看病して回復を願ったが、願い叶わず亡くなってしまった。

そこで、東原家は地元の一角に丁重に埋葬し、毎年、祭祀を執り行って霊を慰めた。この祠を「朝鮮馬場」といっている。

秀吉の朝鮮侵略に遭遇した朝鮮国王は、宣祖。朝鮮王朝実録によると、宣祖には8人の妻がおり、25人の子宝に恵まれた。14男11女。ただ、正室は懿仁王后で、彼女は子供を産めなかった。これを考えると、王女が11人も

おり、その中の一人が対馬に来たという可能性もなきにしもあらずである。歴史ドラマでは、恭嬪・金氏が生んだ光海君と臨海君がよく紹介されるが、ほかは無視されている。

「朝鮮馬場」の話は、朝鮮通信使研究家、辛基秀先生から教えてもらった。東原家は地元の名家で、市町村合併で瀬戸内市になる前、牛窓町長を務めた東原和郎氏がその子孫である。

船に乗って、神や高貴な女性が流れ着く話は各地にある。韓国・済州島の建国神話に高(コウ)氏、梁(ヤン)氏、夫(プ)氏の三神人が地面の穴から出てきたという、三姓穴神話がある。この三神人の妃は、東方より船に乗って流れ着いた倭国の神であったという。

虚ろ船や神話は古代、海流に乗ると、船は思わぬところまで移動でき、相互交流を可能にしたということを物語っている。とても興味深い。

九、室津——歴史の宝庫。万葉歌人、豪商、井原西鶴……

室津(兵庫県たつの市)は江戸時代、海の宿駅として繁栄。室津港に通信使船が停泊した様子を描いた屏風絵から、ここは天然の良港と分かる。播磨風土記には、「此の泊、風を防ぐこと　室の如し」とある。室津は海上交通の要衝として、古くからにぎわっていた。

潮の香りがする街を歩く。大きな廻船問屋の建物に出合う。室津海駅館である。豪商「嶋屋」を改装した館は、室津の歴史を廻船、参勤交代、江戸参府(出島・オランダ商館長)、朝鮮通信使といった4コーナーで紹介していた。

同館2階には「一期一会」と万葉歌人・山部赤人の歌を掛け軸にして掛けている。赤人の歌は、「玉藻刈る辛荷の島に島廻する水鳥にしもあれや家思はざらむ」と白文で記されている。都を離れ、任地に向かう心境を詠んでいる。

2階の窓を開けると、港の光景が軒先越えに見て取れる。海駅館で、職員の説明を受け、街を歩いていくと、民家の前に清十郎生家跡、室津支所（町民センター）の建物の前には「御茶屋跡」と書かれた石碑がたっている。御茶屋は、姫路藩主・池田輝政が建てた、藩主領内巡視の折の休宿使節である。通信使・高官の客館にもなった。

室津は、井原西鶴作の「お夏清十郎」でも知られる。姫路・旅宿但馬屋の手代清十郎は主家の娘・お夏と駆け落ちするものの、2人は捕まえられ、清十郎は処刑され、それがもとでお夏は発狂する。心中ものがはやった江戸時代の悲恋を題材にしている。

うっそうと茂った小高い山にたつ賀茂神社では、途中社務所を訪ね、通信使来航のあらましを書いた「韓客過室津録」（10ｍ）を見れないものかと尋ねた。しかし、突然の申し入れのため断られた。「拝観できる展示はしてません」。見たかった書もある。1655（明暦元）年冬下旬、従四品式部大輔源忠次が描いた20数行の記録書きである。

室津には寺が多く、寂静寺、徳乗寺、浄運寺などに通信使の中官・下官が宿泊している。

「姫路藩御茶屋跡」の案内図。室津港近くに立つ

十、兵庫――日宋貿易の拠点、大輪田泊

兵庫大仏の写真が出て来た。像高11ｍ、台座を含めると18ｍ。石段の上にそそり立っている。平清盛全盛期の名残を伝える大仏である。日宋貿易の拠点として大輪田泊（現、兵庫県神戸市兵庫区）を重要視した清盛は、福原

京遷都計画を画策した。公家勢力を一掃する狙いがあった。

ここを案内してくれた神戸市在住の装丁家は、ＪＲ兵庫駅から海岸線へと向かう道々で、解説してくれる。一帯（兵庫津という）は、名主・惣代という町方によって運営されていたという。大きな商家が、昔の栄華を物語るように立っている。

兵庫港は、かつて瀬戸内海の重要な海駅として知られる。江戸幕府の直轄地にもなった。朝鮮通信使はもちろん、江戸へ向かうオランダ商館長の一行、薩摩の島津に引率された琉球使節も寄港した。彼らが泊まったのは商人の家で、その規模は大きく華麗であったと賛嘆している。海岸に向かう途中、橋を渡ったが、重厚な作りで堅牢にして、威厳がある。商人たちの町づくりを受け継ぐ兵庫区の意気込みを感じた。平清盛の「福原遷都」は幻のようであったが、その名残は其処ここに見られる。

日宋貿易の名残り、3連アーチ石造りの大輪田橋

海岸に出て、山手、六甲連山の方へ目をやっていると、「昼は風情がありません。暗くなると、ここからも夜景が綺麗なはずです」と装丁家がいう。

兵庫運河と呼ばれる海岸端に、兵庫港の歴史を伝える案内板はないが、ここは江戸時代、明石藩が治めていた。各藩がリレーで世話をした朝鮮通信使を迎える光景は、評判となった。室津を出発した通信使船は大小千隻余りの船に守られて、夜、兵庫港に入港する。各船には燈明が灯され、海上は赤々としている。これを見ようと、海岸線はもとより、小型の見物船も浮かび、港町はお祭り騒ぎである。

通信使寄港の折、摂津の儒学者・文人などが通信使高官の宿泊先に押し寄せ、筆談で話をし、漢詩文を交換した。

商家に泊まらず、船にとどまった通信使（1719年）の製述官・申維翰は、湾岸で楽手の音色に合わせて、2人の童子に対舞させているが、これを見ようと「群倭（日本人）が雲の如く集まった」と『海游録』に記している。この対舞を真似て、祭礼に取り入れたのが牛窓で、地元の疕神社に奉納する唐子踊りである。牛窓に対舞が伝わる限りは、牛窓の人が群倭の中に混じっていたのであろう。

十一、大坂――竹林寺に小童の墓あり

「大阪に朝鮮通信使の碑があります」と長年、付き合いのある方からメールが入った。説明文を読んでいて、西区にある、産経新聞社提唱で始まった大阪の史跡顕彰運動の一環であることを思い出した。間違いないであろう。竹林寺には小童（高官を世話をする独身男性）ながら異郷で帰らぬ人となった金漢重（キムハンジュン）の墓がある。

小童・金漢重の墓がある竹林寺

金漢重は1764（宝暦14）年来日するも、途中、玄界灘、瀬戸内海の荒波で、身体を痛める。大坂に着くと、天満の漢方医などが通信使船に駆けつけて診察した。しかし、病重く、竹林寺に移して看病する。床にある金漢重は、故郷の子に思いを馳せた。子は2人いた。

これを知った人々は、年恰好のよく似た2人を街中から探し出し、金漢重の側に座らせた。子供を見て微笑む金漢重を見て、「子を思う心の内おしはかられ、いと哀れなり」（『宝暦物語』）と、人々は胸をあつくした。

死期が近づいた金漢重は、辞世の句を残す。

「今春倭国客　去年韓人中
　浮世何定処　可帰古地春」
　　　　　金岷江　行年二十二齢書

竹林寺の住職は、彼のために念仏百万回唱えたという。しかし、その甲斐もなく、金漢重は世を去った。住職の所作は、通信使の心に響いたのであろう。境内に墓を建てることを許している。建立した墓碑の左側面に、前の辞世の句があり、住職の和歌も刻まれている。その和歌は、次の通り。

　日の本に　消えにし露の　玉ぞとは　知らで新羅の　人や待つらむ

最近では、竹林寺もコースに入ったウオーキングを兼ねた歴史探訪会が、大阪の街中でも行われている。次のような行程となっている。

　地下鉄・千日前線の「西長堀駅」から、▽土佐稲荷神社、▽松島遊郭跡、▽朝鮮通信使の墓がある竹林寺、さらに▽川口外国人居留地跡、▽大阪城周辺

朝鮮通信使のからみでいえば、大阪の町人学者、富商に興味がある。元禄文化に置き換えてもいい。都市の規模では江戸に負ける大坂は、商品経済に染まって、商いの街にとどまらず、近代へ通じる思想を生み出す。司馬遼太郎は『この国のかたち　三』（文藝春秋、1992年刊）に、こう書いている。

「商品経済の思想とは、モノを観念でみずにモノとしてみる考え方である。モノには、質と量がある。質と量でモノを見、学問や思想までをそのように見なおすところから世界史上の近代がはじまる」「日本の近代は明治維新からはじまるとされるが、18世紀の大坂にはすでに近代の萌芽があった」

次回、大阪に行くときには緒方洪庵の適塾、富永仲基（とみながなかもと）の懐徳堂など、江戸思想の磁場となった史跡を訪ねてみたい。

第五章　日朝の町人文化比較

朝鮮通信使は、日本社会を探る役割も担っていたが、その観察力が儒学（朱子学）に偏重し、いわば〝色眼鏡〟をかけてみるような姿勢に終始した。司馬遼太郎も、次のように同様の指摘をしている。

李氏朝鮮の官僚申維翰（1681～?）は、通信使として、1719年に日本に使いした人で、（中略）日本を見る観察態度が裸眼ではなく、いわば朱子学的であり、さらには科挙の及第者的であることが、小さな瑕瑾である。

中維翰は商都・大坂の賑わいに驚き、『海游録』にこう記す。

「（大坂は）江戸よりも富んでいる」「橋が二百余、仏宇が三百余、公侯たちの邸宅もまたこれに倍する。庶民つまり農、工、商賈、素封の家もまた、千万をもって数える」

しかし、彼の日本の社会構造を読み解く観察力は鋭いが、商人には関心を向けることは乏しい。

大坂を特徴づける一つとして、町人の学校がある。この学校は、朱子学が日本に入ってから人々がその正義体系の信者になったことからも独立していたという。司馬遼太郎は富永仲基を高く評価する。『この国のかたち　三』（文藝春秋、1992年刊）にこうある。

富永仲基は、明治29年、内藤湖南によって発掘された。湖南はおなじく大坂の大名貸しの升屋の番頭だった山片蟠桃と仲基をならべ、仲基は江戸期を通じてのもっともすぐれた独創家であるとした。（中略）かれはたとえば道修町の薬種問屋が、長崎経由で輸入した草根木皮の真贋を点検しなおすように、また吹屋が銅の夾雑物をとりのぞくように、さらには江戸期の泉州（大阪府）あたりのレンズ製造者が透明性を出すことに腐心するように、いわば商工業の方法論でもって儒学の古典をあらいなおした。

日本と朝鮮は同じ階級社会ながら、社会の性格は異なっていた。それがため、来日した朝鮮通信使も、驚きを禁じ得なかった。朝鮮と違い、日本には町人学者がいた。名前をあげると、富永仲基、山片蟠桃、木村蒹葭堂など。奇才がいるのである。「これほど、日本の町人は自由なのか」と通信使も仰天したに違いない。商家を継ぎながら、学問研鑽の心を失わず、盛名をなすまでになるのだから。とりわけ、蒹葭堂は才智走った人で、学者であり、画家であり、蔵書家、コレクターであった。

司馬遼太郎が「日本の近代は明治維新からはじまるとされるが、18世紀の大坂にはすでに近代の萌芽があった」と言う理由は、町人文化からも見て取れるのである。

近世から明治期の思想史、日本文化論を専門に研究された東北大学名誉教授源了圓氏は、『徳川思想小史』にこう記す。明治時代をより深く知るために、江戸研究に入ったが、そこで見たのは江戸時代の多用性であった。

徳川思想史の中にこれほどの宝庫が蔵されているとは、当時私は夢想だにしなかった。だが研究を始めてみると、私は大変な思いちがいをしていたことがわかった。私は何も知らずにある予見をもち、ある予断を下していたのである。鎖国、封建制という厳しい枠の中でも、すぐれた人間の知的営為があった。私を含めて、日本人はあまりにも近世思想について知らなすぎる。

一、通信使も驚いた、奇怪な町人の暮らし

木村蒹葭堂を知った朝鮮人は、1764年の通信使書記、成大中（ソンデジュン）（1732〜1809）だった。「商売人が本を読む、儒学を学ぶ？」という驚きだろう。しかし、日本には、そのような商人兼学者がいたのである。蒹葭とは葦のこと。これは号で、本来、名前を孔恭といった。名も変わっている。

成大中は木村蒹葭堂を知り、朝鮮の仲間に、奇人、才人としての蒹葭堂を伝えた。蒹葭堂の名は、当時知られていたのか。彼の名を、成大中が初めて聞いたのは福岡藩の亀井南冥からだった。相島で筆談したときである。彼は若い頃、大坂暮らしをした経験があり、そのころ蒹葭堂がどういう人物なのかを知ったのであろう。

蒹葭堂という人物、まさに鬼才である。家は商家。造り酒屋と仕舞多屋（しもたや）（家賃と酒株の貸付）を営んでいた。財力をバックに、彼はさまざまな方向に関心を示す。そして、それを自分の能力とする。肩書を見て驚く。文人、文人画家、本草学者……。さらには蔵書家、コレクターである。ここまでくると讃岐出身の才人・平賀源内とイメージが重なるような印象を抱く。

大坂には山片蟠桃という人物もいた。両替商の番頭をしながら学問を磨き深め、天文、宗教、経済、歴史等を百科全書的に論じた。こちらも鬼才である。大阪府が山片蟠桃賞までつくっているのである。

山片蟠桃と木村蒹葭堂は、「近世浪速の知の巨人」であろう。蒹葭堂は早熟で、10歳から漢詩や書画を学んでいる。禅宗の黄檗に明るく、オランダ語を得意とし、ラテン語を解したという。ほかにも博学多才ぶりは、広く喧伝されており、諸国からさまざまな文化人が彼を訪ねている。蒹葭堂は大坂で、いわば一大文化サロンを形成していた。

それを朝鮮通信使の一員として来日した成大中が知り、大坂で彼とやりとりをして、次のような印象を受ける。聞けば蒹葭堂は酒を売って書物を買い求め、家の中は書物であふれかえっているまことに奇特。浪速はこの

蒹葭堂のお陰で価値を増している。

成大中は、文雅に親しむ人物であった。朝鮮王朝は儒学思想を国教にしていたが、成大中はそれでカチカチになった男ではなかった。文雅を通じる日朝の心が響きあい、お互いの国で2人（成大中と木村蒹葭堂）の徳分が知られていく。

儒学思想が幅をきかす朝鮮王朝にとって、軟派ともいえる人物・成大中がいたことは救いだったように思える。風俗画の金弘道（キムホンド）（1745～1806）、申潤福（シンユンボク）（1758～?）という風俗画家がいたこともそうである。硬派ばかりの世の中では面白くない。

二、好事家の文化……韓国にはない?!

韓国の外交官から、日韓を比較する上のキーワードとなる言葉を教わったことがある。「好事（こうず）」である。その説明に、研究会や同好会をあげた。このような会が、韓国には、日本に比べてほとんどないと指摘していた。同好の士が集まってネットワークを形成し、その世界に入らなければ味わえない楽しみを共有する。「そのような好事の風は、世界でも珍しい」。外交官は、そういった。

好事とは何か。辞書には「珍しい変わった物事を好むこと」「風流を好むこと」「物好き」などとある。司馬遼太郎が、これと似たような話をしている。『草原の記』に出てくる。

日本文化は室町期も江戸期も好事家の文化であった。室町期では好事のことを数寄（すき）といい、江戸期では道楽といい、家をうしない身をほろぼすとされた。

『穀潰しの三代目』という言葉がある。そうならないように、教訓として伝わっている側面もある。創業者は二代目にはきつく接しても、三代目には甘くなる傾向にある。苦労は知らない三代目はつけあがる。今在るのはすべて自分の実力、と。そのため、脇が甘くなって、失敗の確率が大きくなる。実際、会社や家庭をつぶしてしまう人も少なくないようである。

司馬遼太郎は続ける。

西行も芭蕉も本居宣長も富永仲基も山片蟠桃も、なにごとかトクになるためにそれをやったのではなく、好事への傾斜につき動かされて生涯を了えた。この傾向は、アジアの他の地域にはあまり見られない。

三、朝鮮にも「町人文化」があった?

朝鮮には、町人文化が存在しなかったのではないか。それを象徴するのが、老舗がないことである。両班を頂点にした階級社会は、町人を含む常民(サンミン)階級を蔑視した。商人が誇りを持てない社会だった。それに比べ、日本には老舗が多く、商人が豊かな財力を誇った江戸時代、町人文化の華を咲かせた。対照的な両国だが、面白いことに風俗画が同じころに隆盛する。

日本の町人文化に似たものが、韓国では閭巷文化である。中人という専門職に携わる階級を中心にした文化だった。閭巷とは「りょこう」(韓国語では「ヨファン」)と読み、まちなか、民間という意味である。画家として金弘道、申潤福などが活躍した。

『雙剣対舞』という申潤福の風俗画(国宝第135号)には、伝統的な画風を抜け出した、独自の世界が広がる。風俗図画帖の30余点の中の一つで、2人で舞う剣舞を中心に、下に楽士、上に鑑賞する士大夫、妓生などが描かれている。

従来の図画署(トファソ)にあるような既成の価値観を脱ぎ捨てた斬新さが漂う。自由な構成と華麗な色使いは、朝鮮王朝が国教とした儒教の枠から逸脱している。

社会的混乱が生じる正祖（第22代国王）、純祖（スンジョ）（第23代国王）の時期は、封建社会が解体される大きな過渡期で、中人階級が新文化を形成するに至る。彼らがつくり出した閭巷文化は、風俗画をはじめパンソリ、坊刻本小説（一種の大衆文学）などを流行らせた。

この朝鮮王朝末期、仏教界にも変化が生じていた。布教の対象が、これまでの両班階級から下層階級に移り、布教・伝道の方法も様変わりした。新羅時代に眞鑑大師が開いた梵唄とともに僧侶の舞（念仏踊りなど）も風靡し、下層階級に仏教が浸透する画期となった。

同じ時期、日本では町人文化が形成され、浮世絵が流行した。侍文化の厳格さとは違って、町人文化は人間の欲望が噴き出たような遊興的要素を前面に押し出した。浮世絵は、町人文化の象徴ともいえる遊郭などの風俗を描き、批判精神を絵画に盛り込んでいく。あたかも、近代の到来を予兆するかのような存在になる。西洋に影響を与えたことでも、浮世絵の価値が、いかに高かったかが知れる。

江戸時代の町人文化に似たものが、朝鮮王朝後期の中人階層を中心にした閭巷文化で、風俗画は主流だった両班社会に対抗するシンボルとなった。

四、近代の起点は、化政期にあり

近代の起点は、いつか。明治維新と答える方が多いだろうが、「経済、社会、文化のレベルでの〈近代の起点〉は18世紀後半から19世紀初頭の化政期に至る段階に見出されるのではないか」と、沖浦和光（おきうらかずてる）氏（桃山学院大学教授）は言っている。これは作家の野間宏氏との対談集『日本の聖と賤　近世篇』（人文書院、１９８６年刊）に出てくる。

化政期とは、どんな時代か。沖浦氏は、こう要約する。

> 大きい歴史的転換期としての化政期は、裏返せば『不安と危機』を潜めた時代でもあった。しのび寄る外圧、あちこちで勃発する農民一揆と打ちこわし、民衆文化の急速な水位上昇による大衆社会状況、儒教的モラルの崩壊により価値観の混迷化——ジャーナリズムの形成にともなう情報流通の新しい波のなかで、民衆も大転換期の到来をしだいに意識し始めるようになってきます。

化政期とは、１８０４～１８３０年、江戸を中心に町人文化が形成された時代である。出版や大衆芸能などが風靡し、国学や蘭学が隆盛を極めた。18世紀後半から19世紀前半までの、長い期間を規定する場合もあるという。

野間も、時代の一大転機ととらえ、不安が醸成されたと、次のように説く。

> 化政期に生きた南北（注：鶴屋南北のこと）の世界と現代とは、非常に似ているところがある。南北が出てきた時は、非常に大きな変革の時代であり、一大転機であった。日本がこれからどうなるかという問題が各所に出てきていた。もちろん国内の政治経済の構造的な変動が基底にあったが、外国船も日本の近海に出没し始めるし……。ヨーロッパもまた、大きい危機に近づきつつあった時代です。

開国を求めて来航する西洋列強の艦船に、アジアが大きな変革を迫られ、不安と危機意識を露わにした。武家的な儒教道徳のタガが緩んで、民衆の抱いていた価値観も変容していく。そこで、「日本独自の市民社会の基礎がつくられた」と沖浦氏はいっている。

この市民意識は、明治維新後、どう変化していったか。官（政府）の画策・誘導によって、容易に変わるものだったのか。そうは思えない。

江戸時代は士農工商という身分制が確立し、自由のない四角四面の厳しい統制の中にあったと思う人もいるだろう。さらに海外への窓口を閉ざしていた鎖国の世と思う人もいるだろう。しかし、それは、指摘したように間違いである。

江戸には将軍に会うため、朝鮮通信使、琉球使節、出島の阿蘭陀カピタンなどがやって来た。海外とは四つの窓（琉球、出島、対馬、松前）を通じて、開かれていた。そこから入って来た異文化が、江戸時代の日本に変化を生み出した。「エキゾティック　イン　ジャパン」といってもいい世の中なのである。荻生徂徠、平賀源内、雨森芳洲……。海外に目を開いた人たち。高野長英、渡辺崋山など、江戸末期になると、その種の人が急増する。海外情報に接するなかで、日本・日本文化を深く考察した人たちもいた。これらを総称していえば、開明派といってもいい。

マグマが、いつ噴き出すか知れないような活力を秘めた江戸時代。儒教思想を尊びながら、一元的な価値観に縛られない、思想にも多様性があった。朝鮮のような中央集権の上、儒教べったりの、一元化した社会ではなかったことが幸いした。全国の諸藩はそれぞれ個性を競い合った。そのような時代環境の中で、ユニークな人物が輩出した。江戸期の人物伝を出すとすれば、大変な数になることは間違いない。

第六章　街道をゆく──大坂から江戸、さらに日光へ──

玄界灘、瀬戸内海を越えて大坂湾に入った朝鮮通信使一行は、淀川を川御座船に乗り換えて遡上し、北御堂で宿泊する。その後、また川御座船に乗って京都・淀に至る。ここから陸路で江戸を目指す。旅程は次の通り（「泊」は宿泊を意味し、それがないものは休息）。

淀→京都（泊）→大津→守山（泊）→近江八幡→彦根（泊）→今須→大垣（泊）→起→名古屋（泊）→鳴海→岡崎（泊）→赤坂→吉田（泊）→荒井→浜松（泊）→見付→掛川（泊）→金谷→藤枝（泊）→駿府→江尻（泊）→吉原→三島（泊）→箱根→小田原（泊）→大磯→藤沢（泊）→神奈川→品川（泊）

家光の要請で始まった日光東照宮詣でにも、通信使は3回出向いている。

陸路、大坂から江戸までの道で、通信使を驚かせたのは三都（大坂、京都、江戸）と名古屋の賑わいであった。文の国を自負する通信使高官も、これを無視できなかった。

要は、町人文化があるかどうかである。

朝鮮も日本も儒教思想を基盤に、身分制を敷いていた。朝鮮では常民階級の町人は貴族の両班に抑えられ、独自の文化を花咲かせなかった。しかし、日本は違った。元禄文化は町人階級が作り出した文化で、豪商ら財を成した町人の羽振りのよさに、朝鮮通信使高官も驚いた。

大坂には町人学者がいた。朝鮮ではあり得ない、とさらに驚愕（きょうがく）する。商家を継ぎながら、学問研鑽の心を失わず、盛名をなすまでになるのだから。

地方には、備中松山藩（現、岡山県高梁市）に藩の財政ピンチを救った山田方谷がいるが、彼は菜種油製造・販売を家業とする農商の家に生まれた。人の才能は、一筋縄ではくくれない。

江戸時代の面白さは、奇才・変人がいることである。

例えば、日記を26年8カ月にわたり書き続けた男もいる。冊数にして37冊。何とも膨大な日記である。書いた男は元禄時代を生きた尾張徳川家の家臣、朝日重章（文左衛門）である。通信使についての記録もある御畳奉行の日記『鸚鵡籠中記（おうむろうちゅうき）』で、今日知られている。身辺雑記、醜聞、人殺し、心中など当時の風潮が書き記されている。下級武士がここまで書いたのである。

日本に行った通信使一行の報告や、彼らが持ち帰った書籍を、最も喜んだのは朝鮮の実学者である。儒教を学んだ両班階級のなかには、社会貢献を志す実学者が生まれた。彼らは、通信使を通して商工業の発達した日本を無視しない一派であった。いいものは取り入れようと活動を進め、朝鮮社会を少しずつ変えていった。

大坂から江戸を往復する中、通信使は驚きをもって三都と名古屋の賑わいを見つめ、町人学者らと交流を重ねて、刺激を受けた。秀吉の蛮行でイメージづけられた「武の国」日本が、朝鮮に劣らない、いや朝鮮を上回る文化をもっていることを認識するに至る。通信使が２００年間に12回来日した意義は、両国の社会の実態を伝え、文化交流をつなぐ紐帯になったことである。

一、大坂――商都の繁盛に驚き隠せず

通信使一行は大坂の繁盛を驚きのまなざしで見まわした。ただ、その積極性よりは、まず「大坂は秀吉」という先入観があった。「此処がまさしく平酋（秀吉）の旧都として、その富麗だったことを偲ぶことができる」（『癸未東槎日記』より）と、執拗なほどに秀吉の悪行と滅亡を当然の報いとばかりに書き記している。これは秀吉が隣国・朝鮮を侵略し、自国の百姓を苦ししめ、その都を豊かに華やかにしていたとの非難であった。

大坂に入り、内心では商都としての繁盛にいささか驚いた様子であったが、秀吉の侵略戦争による弊害と歴史の審判で、「逆天者は亡び、順天者は興る」という歴史上の真理を回想するが、これは日本使行録に記入する、もう一つの決まり文句だった。

従事官の申濡（シンユ）（1610～1665）の『海槎録』に詠まれた「大坂行」と次のような詩は、大坂城は今は秀吉の城ではなく、太平歌の聞こえる新たな城邑に生まれ変わったのを見て、徳川幕府との交隣を立てる内容になっている。

（前略）天を射て陰謀の禍が隣に及び／冤魂幾ばくか！／雷のように光る憤怒がいまだにいて／天道は元来人に勝つ／身の変生は実は手を借りたこと／屍が冷めない内に、剣が一門に及ぶ（中略）これから日本が戦争をやめ／徳川の偉業が三代に伝わり／旧好は待たずに血盟を申して／使臣が続いて船で来た（後略）

次に、大坂の町の様子を記した、1719年来日の申維翰の『海游録』を見てみたい。

そのなかに書林や書屋があり、牓をかかげて、曰く柳枝軒、玉樹堂などなど。古今百家の文籍を貯え、またそれを復刻して販売し、貨に転じてこれを蓄える。中国の書、我が朝の諸賢の撰集も、あらざるはない。（中略）蘆花町には娼屋や妓院があり、それが十里にわたって、錦繍、香麝、紅簾、画帳を飾っている。女子は国中の美人が多く、名品を設けて奉華をほこり、金を算して媚を賭ける。よく一朝にして百金に値いするも

のがある。その風俗は、淫を好み、婷麗を尚ぶ。閭巷の男女も、ことごとく錦衣である

1764年来日した通信使・書記の金仁謙は、驚きをもって大坂の町を眺めたことが、彼の書いた『日東壮遊歌』から伝わってくる。

【ユネスコ世界の記憶】

- 正徳度朝鮮通信使行列図巻＝制作者：対馬藩（俵喜左衛門ほか）／制作年代：1711／所蔵：大阪歴史博物館
- 天和度朝鮮通信使登城行列図屏風＝未詳／17世紀／大阪歴史博物館
- 正徳度朝鮮通信使国書先導船図屏風＝未詳／1711頃／大阪歴史博物館
- 正徳度朝鮮通信使上々官第三船図供給図＝未詳／1712／大阪歴史博物館
- 朝鮮通信使御楼船図屏風＝未詳／18世紀／大阪歴史博物館
- 朝鮮通信使小童図＝英一蝶／18世紀／大阪歴史博物館
- 釜山浦富士図＝狩野典信／18世紀／大阪歴史博物館
- 瀟相八景図巻＝狩野清真画　李鵬溟賛／1682／大阪歴史博物館
- 寿老人図＝荷潭画　古賀精里賛／1636／大阪歴史博物館
- 松下虎図＝卞璞／1764／大阪歴史博物館
- 任絖詩書＝任絖／1636／大阪歴史博物館

○大阪の歴史散策

(1) 北御堂で通信使殺害事件も

大坂の宿泊先となる客館は、津村御坊（本願寺派、北御堂）である。高麗橋で大坂港から遡上して来た川御座船

を下りて、行列をなして、宿舎へと向かう。沿道の見物客は、遡上する舟を見るため川の両岸を埋めた。まさに大観衆。それほど、隣国の使節は商都・大坂で人気を集めた。

津村御坊は、いま御堂筋の大道路添いにある。地下鉄の最寄り駅は本町駅。江戸時代、かつては威容を誇っていた。「使行は西本願寺に館した。これは、大坂諸寺のなかでもっとも大きく、かつ華麗である」と申維翰は記す。

商都のにぎわいに、通信使一行は驚く。すでに先発組から噂は聞いていたと思うが、その実際を眼にして、さらに興味が湧く。申維翰は通訳官を連れて、津村御坊周辺を散歩している。漢詩文を交換する製述官や書記の役目は大きく、宿泊先で来客の対応に追われた。散歩は、それから解放された、気分転換の時間ともいえた。

通信使が訪れる度に、津村御坊には求詩求画の人波は絶えず、賑わった。日朝文化交流の場となった津村御坊で1764（宝暦14）年、通信使の随行員が殺害される事件が発生する。

この事件は対馬の通詞役・鈴木伝蔵が、都導訓・崔天宗（チェチョンジョン）を殺害したものである。正使は趙儼と称し、一行330余人、江戸城での将軍家謁見、饗応の儀式など万端とどこおりなくすませ、3月11日、江戸を出発する。大阪に滞在中、4月7日払暁に事件は起きた。

なぜ、殺害に及んだか。鏡をなくした崔天宗は、鈴木伝蔵が盗んだと思って彼を馬鞭で打つが、これに憤慨した伝蔵が犯行に及んだといわれる。ただ、朝鮮人参の潜商（密貿易）がからんでいた可能性もある。

事件の性格から見た場合、国際紛争に発展しかねない重大事件。大坂城奉行所は、その解決に向けて乗り出し、犯人の鈴木伝蔵を捕らえ、処刑したことで一件落着となった。

その間、1カ月間余り、通信使は大坂で足止めを食った。

世上をにぎわわせた事件だけに、人形浄瑠璃、歌舞伎でも取り上げられ上演された。一般的に「唐人殺し」といわれる出し物で、歌舞伎では『世話料理鱸包丁』や『韓人漢文手管始』が知られている。

大坂湾の天保山沖で川御座船に乗り換えた通信使は、北御堂で宿泊した後、京都・淀まで遡上した。そこから江戸まで陸路である。帰りも、淀から大坂湾まで川御座船で下る。行きも帰りも、民衆の歓迎ぶりを通信使一行は心に刻んだ。

(2)「日韓友好」通信使に賭ける、辛基秀一家の情熱

足でかせぐ。ルポライターのような仕事をしていた辛基秀（1931〜2002）先生の書き物を、『季刊　三千里』（三千里社）で度々目にした。辛先生は大阪の環状線・桃谷駅の高架下で青丘ホールを運営して、日韓の懸け橋のような存在になっていた。映像作家として、ドキュメンタリーを製作しており、青丘ホールで強制連行の作品を見たこともある。『オモニの歌（四十八歳の夜間中学生）』（筑摩書房）を出版した、夜間中学教師・岩井好子先生を励ます会もここであった。辛先生を通じて、在日の歴史を知った。

その辛先生と再会したのは、1995年、国境の島・対馬で朝鮮通信使縁地連絡協議会結成大会が開かれたときだった。ゆかりのまちの代表や研究者が集まり、通信使を通じた地域おこしを本格的に始めた。そのアドバイザーのような役割を、辛先生は務め、すでに数々の実績をあげていた。地域の方々から、「辛先生のおかげで」という言葉を幾度となく聞いた。それほど深く朝鮮通信使に関わっているとは驚きだった。すでに1979年に記録映画『江戸時代の朝鮮通信使』を製作していたのだから、こういうには遅きに失した感がある。

2015年10月30日付の東奥日報の記事（共同通信発）を読むと、以下のようなくだりがあった。

少年の頃は軍人にあこがれたが、戦後は民族運動に身を投じる。しかし、イデオロギー対立にもさらされ、苦悩する。そのとき、通信使と出会った、とある。

ゆかりのまちを歩いて史料を発掘し、地元の人たちと交流しながら、通信使を地域おこしに役立てていく。そして、韓国の盧泰愚大統領が雨森芳洲を称える演説をしたことで、朝鮮通信使に脚光があつまり、ネットワーク

がつくられていった。その組織構築は、辛基秀先生をブレーンに、対馬の松原一征氏らがいわば実働部隊として、縁地をつないで行った。

振り返ると、エピソードは尽きない。上野敏彦氏（共同通信社・社会部次長、編集委員兼論説委員、宮崎支局長など歴任）の『辛基秀と朝鮮通信使の時代』（明石書店）と、拙著『海峡を結んだ通信使』（梓書院）を合わせて読めば、その当時の迸る（ほとばしる）ような熱い思いが、感じてもらえるかと思う。

研究のかたわら、永年収集に務めた多くの優れた通信使史料の貴重なコレクションは、大阪歴史文化博物館に収蔵され、企画展などで紹介されている。その屛風、絵画や書画など多彩な史料を見ると、日韓の懸け橋を担った辛基秀先生の並々ならぬ情熱が感じられる。

現在、辛基秀氏の『民際交流』にかけた思いを、娘の辛理華（シンリカ）さんが継承し、母の姜鶴子（カンハッチャ）さんとともにＮＰＯ法人「辛基秀と朝鮮通信使を研究する青丘文化ホール」を動かしている。

辛基秀一家が活躍する様子は、上野氏の前著改訂版『辛基秀　朝鮮通信使に掛ける夢――世界記憶遺産への旅』（明石書店、２０１８年7月刊）に、詳細に描かれている。

二、京都――大仏殿前の供宴で論争も

朝鮮通信使は計12回来日したが、最後は対馬止まり。江戸まで行ったのは、10回である（第2次は京都止まり）。京都での宿泊先は、第1回から3回まで（慶長から寛永元年まで）は北区の大徳寺、第4回からは下京区の本圀寺。上鳥羽（南区）の実相寺が通信使の休息所に使われている。本圀寺は下京区堀川通五条下ル（柿本町）にあったが、いまは跡地として確認できるだけ。

なお、本圀寺は徳川光圀の庇護を受けた寺で、１９７１年、山科区御陵大岩に移転している。

東山の耳塚。秀吉の朝鮮侵略で戦果を競った証し

伏見区の淀に「唐人雁木旧趾」と刻まれた石標がある。雁木とは上陸のため、船着場につくられた石段である。大坂の津村御坊で宿泊した通信使は、川御座船に乗って淀川をさかのぼってきた。ここで上陸後、鳥羽街道を北上して京都入りした。

通信使は江戸からの帰路、大仏殿（豊国神社）の門前で、昼食の接待があったが、すんなりと通信使高官が席につくことはなかった。もめているのである。秀吉を祀る豊国神社は豊臣家滅亡を契機に、家康の命で廃絶となった。存続していれば火種になったはず。また大仏殿の周辺には通信使一行には見ることもつらい耳塚（鼻塚）があったことも大きな要因となった。朝鮮侵略の折、秀吉軍は戦功を誇るため朝鮮人の耳や鼻をそぎ落とし、それを樽に塩漬けにして京都に送った。耳塚はそれを供養する塚である。

同志社大学の近くにある相国寺にも行った。通信使の遺墨が伝わるからである。第3代将軍・家光の頃、対馬藩の国書改ざん・偽造が発覚し、以後、それを防止する意味から、京都五山から輪番で外交僧が派遣された。彼らは以酊庵で、朝鮮関係の外交事務を管掌した。

朝鮮通信使が来日する度に、京都の街中に、朝鮮ブームが巻き起こったことが、ここからも知れる。

【ユネスコ世界の記憶】

- 朝鮮国書（3点）＝制作者：対馬藩作成／制作年代：1607、1617／所蔵：京都大学総合博物館

※重要文化財

• 朝鮮信使参着帰路行列図＝対馬藩（俵喜左衛門ほか）／1711／高麗美術館
• 宗対馬守護行帰路行列図＝対馬藩（俵喜左衛門ほか）／1711／高麗美術館
• 馬上才図＝二代目鳥居清信／18世紀／高麗美術館
• 朝鮮通信使歓待図屏風＝狩野益信／17世紀／泉涌寺　※京都市指定文化財
• 韓客詞章＝趙泰億ほか／1711／相国寺慈照院　※京都市指定文化財

○京都の歴史散策

(1) 京都と対馬――行列輿に秘められた謎

京都・建仁寺の方丈・大雄苑に入り、対馬行列輿（こし）という大きな乗り物を見た。ある部屋の一室に展示されている。一見、重そうな作りである。人が乗る箱にしては、丈夫な木組みである。担ぎ手が前後左右に4人必要になるが、4人では長くは担げない丈量である。恐らく8人、12人で担いだのであろう。

建仁寺にある輿。
輪番僧は、これに乗って対馬へ

韓国の歴史ドラマをみていると、両班や官僚が、輿に乗って移動する姿を度々見かける。箱形ではない、簡単な輿で、これだった前後左右4人で足りると思う。王族が乗る輿は、これとは違い重量のある造りである。これを担ぐ人足は大変だったのではなかったかと思う。

江戸時代と朝鮮王朝を比較すると、輿の需要は朝鮮王朝の方が、比べものにならないぐらい多かったように思われる。

対馬行列輿に戻る。建仁寺になぜ、対馬の文字があるのか。それは建仁寺を含む京都五山の僧侶が対馬に派遣されていたからである。朝鮮外交の文書を管理するため、幕府が彼らを派遣した。対馬藩の国書偽造・改ざん事件が発覚し、その再発を防ぐための措置だった。

これら僧侶のことを輪番僧といった。輪番僧に選ばれることは、大変名誉なこと。それは、対馬行列輿と名付けられた、重々しい輿からもうかがえる。威光を世間に伝えるシンボルのような輿である。彼らは、対馬・西山寺の以酊庵に入り、そこで任務を果たした。2年か3年交代で新旧入れ替わった。

それにしても、当時、京都から対馬までは遠い。大坂湾から博多までは瀬戸内海を通るから波も穏やかであろう。しかし、玄界灘に出ると、海は荒々しい。博多から対馬までの海路、難儀を極めたであろう。

江戸時代、対馬には流罪の僧侶がいた。日蓮宗派の日奥上人である。京都の僧侶であり、不受不施派の祖。戒律を守って幕府の指示に従わなかったため、家康の頃、対馬に流された。司馬遼太郎の『街道をゆく13 ~壱岐・対馬の道~』に紹介されている。

京都と対馬がつながっていたことを紹介したいがために、輿の話を書いた。

(2) 京都五山の僧と通信使

国書改ざん事件が裁かれた後、対馬・厳原にあった以酊庵には、寛永年度から京都の碩学の僧が輪番僧として派遣された。1866(慶應2)年の廃止まで、天龍寺から37人、東福寺から33人、建仁寺から32人、相国寺から24人(いずれも延べ人数)が赴任している。彼らは外交僧としての役割を担い、外交文書を掌握した。

対馬藩の慶弔などを目的に、度々訪れる「訳官使」にも対応した輪番僧は、朝鮮文化に触れる機会に恵まれる。そこで得た朝鮮人の墨書などを、日本に広める役割も果たした。文化的教養の高い京都五山の禅僧だからこそ、容易に踏み込めた世界といえる。

亀岡市曽我部町穴太の金剛寺の楼門に「金剛窟　朝鮮朴徳源（パクトクウォン）」の扁額が掲げられている。第11回（宝暦14年）通信使の一員とされる朴徳源の書である。金剛寺は、「朝鮮国梅軒」の扁額のある峰山町・全性寺とともに天龍寺派に属することが注目される。

朴徳源は、朝鮮の書家一覧に名を列す大家で、いかなる理由で金剛寺に扁額があるのかは想像の域を出ない。ただ、「為日本国僊叟禅師」と刻まれていることから、金剛寺第7世の僊叟和尚が通信使の接待役に召集されたとき、通訳官として随行していた朴徳源と親しくなり、直接一筆を要請したことが考えられる。そんな説も、草創期を担った先人の研究から知ることができる。

朴徳源については、郷土史家の岡部良一氏（兵庫県美方郡新温泉町）が「小通事・朴徳源の再検討」（『朝鮮通信使地域史研究』創刊号所載）という、従来の定説を覆す論文を執筆している。朴徳源は小通事として2度来日し、彼の署名入りの墨蹟が各地に多数残されている。しかし、朴徳源の名は通信使随行員リストにはない。なぜ、各地に彼の墨蹟が……。それは、対馬に朝鮮渡海訳官使として朴徳源が4度渡ったこと、京都五山から派遣された以酊庵の輪番僧が介在していることを解明することで、その謎解きができるという興味深い論考である。

(3) 上田正昭先生、通信使研究にも貢献

上田正昭先生が2016年3月13日、逝去された。新聞各紙は、「日本古代史研究の第一人者」「古代国家・渡来人研究」と業績を紹介している。私は、関西時代、金達寿（キムダルス）の『日本の中の朝鮮文化』を愛読するなかで、上田先生の朝鮮系渡来人研究を知った。かつて2人は、古代史ファンが乗るバスに同乗し、奈良・飛鳥地方をはじめ、史跡をガイドして回っている。上田先生の語りがよかったのだろう、「上田節」として知られるようになる。万葉集研究の犬養孝氏のように、である。

私が上田先生の生の声を聞いたのは、1998年、高月町（滋賀県）で開かれた朝鮮通信使ゆかりのまち全国交

流大会だった。江戸時代、国境の島・対馬藩で外交官として活躍した雨森芳洲（高月町・雨森地区出身）を世の中に最初に紹介したのが、上田先生だった。高月町の書庫で、古文書をひも解き、雨森芳洲の考え方を知る。芳洲61歳のとき、対馬藩主に外交の心構えを説いた『交隣提醒（こうりんていせい）』に出てくる「誠信の交わり」。「互いに欺かず、争わず、真実をもって交わる」。このような外交哲学をもった先人がいたことに上田先生は感動した。「日本が、世界に誇る国際人だ」というのが第一印象で、以来、新聞や雑誌を通して世に広めた。

高月町での講演を一番喜んだのは、雨森一族である。子孫が全国各地から集まって、熱心に拝聴していた。その席には、駐福岡韓国総領事の徐賢燮（ソヒョンソプ）先生も招待されていた。１９９０年、来日した盧泰愚韓国大統領が宮中晩さん会の答礼で、雨森芳洲を称える演説をした。優れた漢詩文の才能や、第6代将軍・家宣の指南役を務めた立場から、隣国でもその名を知られる新井白石がふさわしいと思うが、その頃、余り知られていない雨森芳洲を打ち出したのである。これが挿入されたのは、答礼の演説文の草案をつくった徐賢燮先生の思い入れからだった。

「民際」という言葉は、馴染みが薄いようだが、上田先生の造語である。「民際」とは、民衆と民衆とのまじわりを意味する。これについて、こう説明している。

国際という漢字の熟語は、インターナショナルの日本での翻訳語だが、国際の語感からはとかく国家間の関係のみがイメージされやすい。国と国との交渉はもとより重要だが、民衆と民衆とのまじわり、私のいう民際こそ、国際の内実化をたしかにすると実感したのは、20数年前に、通信使と民衆との交流が実際にくりひろげられていたことを知ってからである。

（『朝鮮通信使とその時代』明石書店より）

いうまでもなく、「民際」が生まれた背景には雨森芳洲との出合いがあった。

⑷ 高麗美術館創始者が起こした風

高麗美術館（京都市北区）の表札は、司馬遼太郎が揮毫したもの。その経緯には、同館創始者の鄭詔文（チョンジョムン）氏の実兄・鄭貴文（チョングィムン）氏が東大阪市に住み、司馬と付き合いがあった。弟と「朝鮮文化社」を設立し、雑誌発行を始めたと鄭貴文氏から聞き、応援に乗り出す。同誌の編集委員も務め、対談企画にも快く参加している。

その雑誌、『日本のなかの朝鮮文化』は多くの共鳴者を集め、第50号まで発刊された。それを読みながら、本来は実業家である鄭詔文氏が骨董屋を回って、母国から流出した美術品を収集していることを知った。私財を投じて、１７００点を超える朝鮮の美術工芸品が集まったという。

高麗美術館は、そのコレクションをもとに、１９８８年10月25日に開館した。それを通して、鄭兄弟の付き合いの広さと、『日本のなかの朝鮮文化』に寄稿する顔ぶれの多彩さに驚いた。

ユネスコ「世界の記憶」（記憶遺産）に登録された二代目鳥居清信が描いた「馬上才図」を所有する同館は、朝鮮通信使の企画（特別）展にも積極的に取り組んでいる。

欧米志向へと舵をきった明治期以降、日朝友好の歴史は抑えられ、その象徴ともいえる朝鮮通信使は意図的に消されてしまう。戦後、それを掘り起こしたのは、李進熙、辛基秀両氏ら在日研究者であった。朝鮮蔑視観、朝鮮人差別をただし、改める役割を通信使は担っていた。

それに、日本人研究者として仲尾宏・京都造形芸術大学教授が加わる。仲尾先生は『朝鮮通信使と壬辰倭乱』『朝鮮通信使と徳川幕府』（以上、明石書店）『朝鮮通信使』（岩波新書）をはじめ多くの朝鮮通信使関係の著作を出版し、秀でた成果をあげている。㈶世界人権問題研究センターの研究部長を務め、高麗美術館にも理事としてかかわる。２０１７年10月末に登録された朝鮮通信使ユネスコ世界の記憶（記憶遺産）の日本学術委員長も担当した。

仲尾先生にとって、通信使研究は「日韓・日朝関係の前進に一歩でも役立つ」ものである。この文は、「青丘文化」復刊第12号（発行人：辛基秀夫人、姜鶴子氏）に寄稿した、仲尾先生の「平和の通信使」から抜粋した。

三、滋賀――近江八幡に立つ「朝鮮人街道」の石碑

街並みの美しさからいうと、近江八幡、彦根が印象に残る。風情があり、また行きたくなる。4月、桜の頃は最高であろう。高月町（現、長浜市）を訪ねたついでに近江八幡市を訪ね、いいまちだなと感じ入ったことがある。近世の歴史息づく風情ある街並み、琵琶湖に通じる水路……水郷の街という印象が残る。麓にある大きな神社を見て歩いた後、ロープウェーで小高い山に登り、琵琶湖も眺めた。

このまちは、秀吉の命令で自害を遂げる前に秀次が、数年かけて作り上げたまちである。資料館や昔の商家をみて、道標の立つ朝鮮人街道を歩いたが、タイムスリップしたような感覚にとらわれた。

秀吉の養子だった秀次は、安土城下の民を近江八幡に移し城下町を開いた。商いの街としての新たな賑わいを作りだした秀次の手腕が、今も息づく。秀吉に実子、秀頼が生まれると、彼は疎まれて、20代後半で自害した。とはいえ、秀次は近江八幡の開祖として市民に慕われている。

近江八幡の町を歩いていて、見つけた「旧朝鮮人街道」と刻んだ石碑。朝鮮人街道を〝発掘〟したのは、高校生たちだった。彦根東高校新聞部が門脇正人教諭の指導で、消えた道探しを行ったことで、現代に蘇った。１９９０年から翌年にかけて、史料を読み、聞書き調査をし、フィールドワークをするなど、地道な活動が実を結んだ。１９９０年といえば来日した盧泰愚大統領が雨森芳洲を称える演説をした年である。それが、新聞部を刺激した

近江八幡に立つ「旧朝鮮人街道」の石碑

のは確かである。

【ユネスコ世界の記憶】

- 江洲蒲生郡八幡町惣絵図＝制作者：未詳／制作年代：１７００頃／所蔵：旧伴伝兵衛土蔵　※近江八幡市指定文化財
- 琵琶湖図＝円山応震／１８２４／滋賀県立琵琶湖文化館
- 雨森芳洲関係資料（36点）＝雨森芳洲ほか／18世紀／芳洲会、高月観音の里歴史民俗資料館寄託　※重要文化財、長浜市指定文化財
- 朝鮮通信使従事官李邦彦詩書＝李邦彦／１７１１／本願寺八幡別院

○滋賀の歴史散策

(1) もてなし厚かった彦根藩

近江八幡から安土へ向かう通信使は、安土城下を通り能登川を渡り、彦根へ向かう荒神山麓の直線コースを進む。たどり着いた彦根。近江の数多い城のなかでも、彦根城は「国堅固の城」として領外にまで権威を誇っていた。湖東にそびえる彦根城の西、京橋通りの宗安寺が通信使の宿舎である。

この寺は藩主の井伊家の移封に従い、上州（上野ともいう、いまの群馬県）から移ってきた名刹である。正門である「赤門」から離れたところにある「黒門」は、

宗安寺の黒門。
通信使接待のための特別仕様の門

唐人門あるいは高麗門とも呼ばれた。仏寺としては朝鮮通信使接待のためとはいえ、猪や鹿肉を正門から運び込むわけにはいかず、「黒門」は別門としてつくられたという由来をもつ。

※本願寺八幡別院＝朝鮮人街道を通る通信使は、近江八幡の本願寺八幡別院（金台寺ともいう）で昼食をとった。1711年、来日した通信使・従事官の李邦彦（イバンオン）は江戸からの帰路、再び八幡別院で憩えた感興を、七言絶句の漢詩にして書き残した。同寺は、もとは安土城の城下町にあったが、近江八幡に移築された。上洛のとき、徳川家康の宿泊所にもなった大寺院であった。

彦根藩井伊家の彦根城での接待がよほどよかったのか、1636（寛永13）年の正使、任絖（号・白麓）は、次のような詩を以て礼とした。このとき、藩主は江戸詰めのため、家老の岡田半助宣就がもてなした。

朝鮮正使　白麓

江州彦根城に於いて盃盤（はいばん）に書す

肴核、盤に盈（み）ち、総て是れ珍なり

一壺の春酒、潑醅（はっさく）新たなり

酔い来たり、忘却す、帰程遠きを

厚意は何に由（よ）りてか、主人に謝せん

【現代訳】近江彦根城において、大きい盃に書く／酒の肴は大皿にみちあふれ、すべて貴重で珍しく美味しいものばかりです／壺の中の春の新酒は、ほどよく醱酵して大変うまい。／心地よく酔いが回ってきました。帰り道がまだまだ遠いことを忘れ去ってしまいます。／この厚いもてなしを、御主人にどのように感謝すればよいのかわかりません。

（辛基秀著『新版　朝鮮通信使往来』より）

宗安寺には、朝鮮王朝文人の肖像画と伝えられる画が伝わる。「胸背（きょうはい）」の二羽の鶴（朝鮮王朝の位階をあらわすもの。鶴は文官、虎は武官。三品以上の堂上官がつけた）と思われるも紋様はいまだ色褪せず、宗安寺での文化交流を偲ばせる。

彦根が気に入った通信使の高官は、その気持ちを書にして伝えた。宗安寺近くにある、江国寺の本堂に掲げられた扁額「江国寺　朝鮮雪峰」は１６４３（寛永20）年の通信使・写字官、金義信（キムイシン）（号・雪峰）の書である。彦根城の東、佐和山の麓にある龍潭寺（りょうたんじ）は、藩主・井伊家の菩提寺だが、ここには１７１１（正徳元）年の通信使、藍溪の書が伝わる。境内には龍潭寺白と名付けられた大輪の木槿（ムクゲ）の古木がある。寺伝によると、通信使から送られた漢方薬のなかから選んだ種がまかれ、育ったものといわれている。

(2) 雨森芳洲の語り部に会う

渡岸寺観音堂の十一面観音立像で知られる高月町は、観音像が多い地域である。資料館の名も、「観音の里資料館」と命名されている。ここには雨森区がある。戸数１００余り、人口５００人足らず。小さな地区ながら、独自のまちづくりで、国や県から表彰されている。コイ放流と水車の設置、花いっぱい運動、巨大こいのぼりの掲揚……、これに東アジア交流ハウス。韓国との交流が加わると、「なぜ」と問いたくもなる。

ここは、江戸時代、対馬で外交官として活躍した、儒学者・雨森芳洲の出身地である。雨森区のまちづくりを牽引してきた功労者が、平井茂彦さん。高月町役場に長く勤め、その間に雨森区長にも就き、芳洲の里

高月町の雨森芳洲書院。
別名は東アジア交流ハウス

づくりを進めた。

平井さんにとって、芳洲はエネルギーの源泉でもあったといえる。芳洲没後250年の2005年に、『雨森芳洲』を自費出版した。帯には「生涯学習の国際人として朝鮮外交に尽力した」と記す。というのは、23歳で習い始めた中国語を50年間以上、芳洲は続けている。もちろん、朝鮮語も釜山の草梁倭館に務めながら修得した。81歳を過ぎて和歌に親しみ始め、古今集千回読破、作歌1万首を目指し、これを早々とやり遂げている。88歳で亡くなった長命の人で、まさに生涯学習の手本を示した。

芳洲カルタ、通信使の粘土人形などを作り、母親が語る「ふるさとの言葉」をまとめた本もつくった平井さんは、さらには雨森地区の広報紙を36年間にわたり担当した。それも一人で執筆・編集し、1693号まで創り上げている（2017年6月30日発行をもって休刊）というから驚きである。

その休刊宣言の前、高月町を訪ね、東アジア交流ハウス雨森芳洲庵で平井さんに久々お会いした。このとき、館長として芳洲と朝鮮通信使について語ってくれた。梅のほころぶ庭で、引率した韓流講座の受講生と記念撮影に応じてくれたが、そのもてなしの心に、「芳洲魂とは何か、学びました」と受講生はささやきあっていた。

四、大垣――通信使を追っかけた商人も

垂井宿追分で中山道と別れ、美濃路に入る。熱海の宮宿で東海道に合流するが、その間の距離約60㎞、7宿が点在する。

美濃路に入った通信使は、今須（関ケ原町）で昼食をとり、大垣で宿泊した。大垣でも、沿道には異国の使節を見ようと民衆が詰めかけた。その熱狂ぶりは竹島町の朝鮮山車（だし）に刻まれている。八幡宮の祭礼に繰り出される各町の山車のなかでも、竹島町のものは目を引いた。

清道旗を先頭に楽隊、山車上に載った「大将官」人形、その脇に小姓、さらに「朝鮮王　竹嶋町」の旗が続く。

当時、大垣商人の大黒屋河合治兵衛の先祖が、通信使行列を名古屋まで追っかけスケッチし、それをもとに京都・西陣の業者が朝鮮服をつくったといわれる。異国の使節に似せた行列部隊は、こういった熱狂的なファンがいてこそ可能だった。

当時の民衆の興奮が伝わってくる竹島町の朝鮮山車の遺品は、現在大垣市郷土館に陳列されている。

通信使がもたらす朝鮮ブームは、拾六村（現、十六町）の「豊年踊り」にも影響を与えた。秋まつり、通信使行列を模倣した行列が繰り出されるが、これが「豊年踊り」である。衣裳は素朴で、ススキの穂や切り紙などを使って、巧に日常着に変化をつけ、異国情緒をつくりだす演出をしている。

摺針峠で、茶屋・望湖堂を偲ぶ

大垣で、通信使の高官が泊まった全昌寺。初代藩主戸田氏鉄が大垣城入封後に、寺域をさずかり、出来た寺である。ここにも通信使に面会を求める人が押し掛けた。
大垣を出発した通信使は起（現・尾西市）で昼食をとり、名古屋へと向かう。美濃路で難所といえる場所は、揖斐川、長良川、木曾川の木曽三川である。参勤交代で江戸へ向かう西国の大名行列は、渡し舟を利用したが、隣国の外交使節、通信使は異なった。特別に架設した舟橋を渡った。舟をつないで、その上に板を張り、まるで陸上を行くような演出をした。その堅固な舟橋に通信使も感嘆の声をあげている。
大垣市で２００７年、２０１５年の2回、朝鮮通信使ゆかりのまち全国交流大会が開かれた。２００７年に参加したが、このときこのフィールドワークとして、訪れた岐阜市歴史博物館で別府細工を見て、通信使がここにも刻まれているのかと驚いた。別府細工とは蠟型鋳物だが、その一つ燭台に旗をもつ通信使が細工されている。特別に展示された、通信使が描かれた洛中洛外図も見る機会を得た。

このとき通信使の足跡を訪ねるコースとして、岐阜市歴史博物館→一宮市尾西民俗資料館→養老町・福源寺→中山道・醒井宿→摺針峠と回った。

○大垣の歴史散策

(1) 民間医・北尾春圃。通信使の評価で一躍有名に

岐阜の大垣市で、朝鮮通信使縁地連絡協議会の全国交流大会が開催されたとき、フィールドワークで、養老町にある福源寺を訪ねた。通信使の医官と会って、「東海の天民」と称えられた民間医・北尾春圃（きたおしゅんぽ）（1658〜1741）の墓を見るために立ち寄った。

大垣藩の戸田侯に仕えて医業を行った春圃は1711年、江戸からの帰途、通信使が泊まった大垣の全昌寺を訪ね、良医・奇斗文（キムドムン）に面会した。医業を継がせる三人の息子を連れての訪問に、奇斗文も驚いたことと思う。春圃は持参した自著『医論六条』の批評を請うた。奇斗文は、春圃と筆談を通して歓談し、奇斗文は彼を「東海の天民」と評価した。それに、息子も感激したと思う。

奇斗文との遣り取りを、春圃は『桑韓医談』にまとめ、刊行した。その序文は息子の春倫が執筆した。来日した1719年の通信使・医官である権道（クウォンド）らと会っているが、もしかしたら、『桑韓医談』を贈呈したかも知れない。

北尾親子との対面を、製述官の申維翰が『海游録』に、こう記している。

北尾春倫という者、医官春圃の子にして、詩をつくることははなはだ多い。佐和の別名が金亀なるをもって、『金亀城擁大江頭』の句がある（＝江戸への往路）

夕暮に大垣に着いた。北尾春倫家の六父子がまた出迎え、労をねぎらってくれた（＝江戸からの帰路）このときも、北尾父子の著作について、権道は批評を請われたが、体調がすぐれず、代わりに申維翰が対応して、筆を走らせている。北尾家では、親子ともども来日した通信使との出会いを心待ちにしていたことがよくわかる逸話である。

福源寺には、室原北尾春圃顕彰会が平成9（1997）年3月に建てた「町指定史跡　北尾春圃墓」と書かれた、簡単な案内板があった。父の玄甫から医術を学んだ春圃は、伝授された曲直瀬流（漢方医学）の医術を基礎に、脈診の達人であったとされる。民間医ながら、『提耳談』『当壮庵家訣』などの著書も残している。

来日した通信使で多忙なのは、漢詩文を担当する製述官や書記らである。宿舎には、地元の藩はもとより遠方からも儒学者や医者たちが訪ねてきた。漢詩文の唱和、自著の評価、その序文依頼、朝鮮国の事情など、筆談を通じた問答が続いた。

通信使は、才能のある儒学者を称賛するだけでなく、行く先々でその名を喧伝した。そのお陰で、福岡藩の亀井南冥のように、広く名前が知られる幸運にあずかった儒学者も現れた。

北尾春圃もその一人で、亀井南冥ほどではないにしても、通信使の医官との出会いによって、医名を高めることになる。彼は長命して83歳まで生きた。

(2) 川を渡る、舟を繋いだ橋を

舟橋というのがある。橋の代わりに、数多くの舟を鎖で連結させて、その上に木の板を載せた橋をつくる。韓国では、正祖（朝鮮王朝第22代王）の時代、漢江に舟橋が架けられた。正祖の右腕として活躍した、丁若鏞（チョンヤギョン）が発案したもの。正祖は母親の恵慶宮（ヘギョングン）の還暦を機に、思悼世子（サドセジャ）の墓に行幸した。水原に建設された華城お披露目を兼ねて、大規模な行列がこの舟橋を渡った。

舟橋は、有事の際に効果的である。常設の橋建設に比べ、費用は安く、撤去の手間も少ない。正祖は、舟橋を一種の軍事実験として推進した。橋は、軍事とからむ。徳川家康は、東海地方の川に橋を架けていない。万一の西南雄藩の謀叛を警戒しての策であった。

これが、諸藩に命じられた参勤交代のとき、大きな障害ともなる。さらには、朝鮮通信使の足をはばむ要因となった。

それを解消したのが、舟橋である。その絵図を見たのは、岐阜市歴史博物館だった。木曾川に大舟44隻と小舟233隻、それを繋ぐ板2800枚ほどを用いたという説明を聞いた。これを担当した大垣藩、各村役人などの労苦は大変なものだったと思われる。

1682（天和2）年、来日した通信使・訳官の洪禹載（ホンウジェ）が書いた『東槎録』（若松實訳）には、こうある。

> 起川という川があるが木曽川の下流である。二百余隻の舟で浮橋を架け木板を敷き、大きな鉄索で繋いで板の端を引いて押さえて舟が動揺しないようにして、其の上麻の太い索で繋いであって甚だ堅固であった。渡しには小屋を造って役人を配置して舟ごとに軍人を置いて護衛するようにしてあり、その遺り方は雄壮で記録できないほどである

この舟橋を渡る通信使を一目見ようと、両岸は見物客で埋まったといわれる。

1624（寛永元）年、通信使随行の画員・李聖麟も絵巻『槎路勝区』（韓国国立中央博物館蔵）のなかに、「越川舟橋」として描いている。舟橋を挟むように、見物客を乗

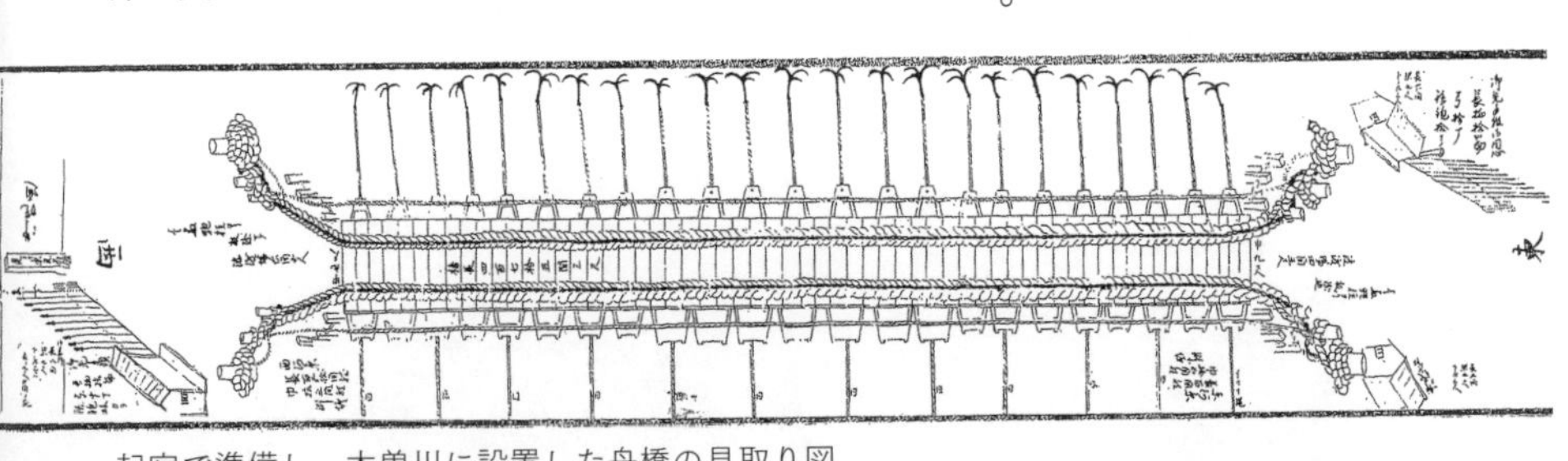

起宿で準備し、木曽川に設置した舟橋の見取り図

せた舟が幾隻も近くに浮かんでいる。

幕府の統制策で、美濃・東海地方には川が多い割に橋が架かっておらず、地元各藩の負担は想像に余りある。大変なものだったであろう。

ちなみに舟橋は、佐渡川（揖斐川）、墨俣川（長良川）、小熊川（境川）、天竜川、富士川、酒匂川、馬込川などにも架けられた。

五、三重——地域の「宝」をつくる

東玉垣町（三重県鈴鹿市）の和田佐喜男さんからいただいた、牛頭天王（ごずてんのう）神社の祭礼で最大の出し物『唐人踊り』についての資料が出てきた。2003年3月24日の日付が打たれている。朝鮮通信使の全国大会でしか、和田さんと会う機会はない。そのとき、もらったもの。当時、和田さんは唐人踊保存会顧問を務めていた。

東玉垣町に生まれた和田さんは、18歳で唐人踊りを覚え、1968年に有志と保存会を結成し、その継承を続けてきた。唐人踊とは、「唐人の衣裳をつけ、『九連環』を歌いつつ行う一種のおどり」と広辞苑にあるが、東玉垣町のそれは、起源と歴史すら不明なことが多い。牛頭天王社には江戸後期、天保3（1832）年の社宝（記録や絵幕、天幕、尺拍子、俄の衣類、道具類）を調べて、「この村は祭り好きな集落、（唐人踊りは）田舎芝居に俄（にわ）かとして登場していたか」と、和田さんは思ったこともある。

珍妙な面や滑稽な所作のなかに、風刺的な面白さを秘め、喝采を浴び、その中に自然と道徳と活き方を教えている。この唐人踊りは一体、何なんだろうか？　三穴手というラッパとシンバルと団扇をもって、剽軽な動作で激しく踊る。「これは……」。長年、和田さんの疑問であった。

鈴鹿市の教育委員会は無形文化財に指定したものの、東玉垣町の唐人踊りの由来は曖昧なままだった。それが解明されたのは、辛基秀、上田正昭（京都大学）、草野妙子（武蔵野音楽大学）ら3氏による調査だった。「メロディーを克明に聴いて分析した結果、朝鮮朝中期の田植の歌だということがほぼわかりました」。このように、辛基秀氏は「祭りに残った通信使行列」（『朝鮮通信使と日本人』学生社所載）に書いている。のちに草野氏は国際民族音楽学会で、それを発表している。

和田さんは、やっと唐人踊りの起こった由来を知ることができて、こう思う。

広く日本の大衆に感銘を与えた、朝鮮通信使の面影を残す珍しい祭り。うまく土地のお百姓に受け入れられるように工夫した先人の知恵に感謝しております。

唐人踊りの始まりで、告げられる口上は、「長歳哉か変わらで祭る弥都賀伎（みずがき）の五穀成就と踊る唐人」。次に太鼓のみの演奏の後、「ショウガ」という独特の手形で、跳び上がるような踊りが始まる。これは天上天下や四方を清める所作といわれる。

小さな森の祭りでもてはやされた、神格化された唐人。そこには、「平和を望み、五穀豊饒と安寧を願う、この地の農民の凄まじいまでの魂が見え隠れします」と和田さん。東玉垣町は祭り好きな集落。だからこそ、神社の祭礼行事に元来、村芝居があった。後に、朝鮮通信使を通じて、唐人踊りが創作され、加えられたというのが、和田さんからいただいた資料から読み取れた。

唐人踊りは、沿道を埋める村中総出の見物のなか、60人が練り歩く。さらに村の各戸を回り、踊りが披露される。沿道を練り歩くとき、見物客をからかったり、追いかけたりと、掛けあいがあり、この開放的な所作が笑いを誘う。和田さんらは保存会を結成して、4月第1日曜日を祭日と定め、半世紀以上にもわたり、絶やさず続けてきた。

その長い取り組みをまとめたのが、『郷土芸能「唐人おどり」伝承の秘訣』（伊勢新聞社）である。

ひとつのものを必死に追いかけていると、あとから必ず人がついてきてくれる本のなかに記されていた和田さんの、実感のこもった言葉である。それだけ、長年、唐人おどりに打ち込んできた証しである。

家族と、地域の人とつないで50年余り。「その熱意に感謝したい」と和田さんは話すが、地域に伝承する心や情熱を伝えたのは和田さんである。

翻って、地域の宝とは、和田さんのような人をいうのであろう。

六、名古屋――徳川園に蓬左文庫。秀吉の「影」あり

愛知県は戦国時代から、織田信長、豊臣秀吉、徳川家康を輩出した人材の宝庫だった。加藤清正も愛知の出である。JR名古屋駅に「太閤口」とあったのは、秀吉にちなんだのであろう。ソウルに世宗大王を讃え、世宗大路や世宗会館とかあるのを思い出した。「太閤口」とは、なかなか粋である。

名古屋といえば、秀吉の朝鮮侵略に詳しい貫井正之先生（東海地方朝鮮通信使研究会会長）がいる。長く名古屋外国語大学で教えられた方で、許浚（ホジュン）を深く追求し、国際シンポジウムも開いた。東海地方では、朝鮮通信使への取り組みが活発である。読売新聞（中部支社）の千田龍彦さんが、通信使の見聞録も描いた畳奉行・朝日文左衛門の『鸚鵡籠中記』を読み解き、本にしている。静岡市には、地元開催の縁地連全国大会に尽力された「静岡に文化の風を」の佐藤俊子代表、元高校教師の北村欽哉先生もいる。このように人材が豊富である。

徳川園（名古屋市東区）のなかにある蓬左文庫。ここは秀吉の朝鮮侵略で略奪してきた書籍を一部、保管している。いうまでもなく、朝鮮文化財の略奪にも秀吉軍は走った。蔵書の原点は秀吉の朝鮮侵略にかかわる。秀吉軍の総隊長、宇喜多秀家は出兵前、朝鮮からの戦利品として何を望まれるか、と尋ねた。秀吉は確か、書籍と答えた。そこで、秀家はそれと鉛活字を略奪して持ち帰った。

徳川園の敷地内にある蓬左文庫。その表札

日本の出版文化隆盛は、朝鮮の恩恵に浴している。朝鮮の儒教文化を支える多量の朝鮮本、さらには王城内で見つけた金属（銅）活字と活字版の道具を略奪した。これが日本の出版物、出版文化に大きな影響を与えた。金属活字は天皇に献上され、日本初の活版印刷が行われた。その朝鮮書籍が、秀吉の死後、徳川御三家に分散して、保管される運命をたどる。

現在、東京の宮内庁書陵部、国立公文書館、蓬左文庫、対馬の宗家文庫、東大、京大などに、多くの朝鮮本が伝わる。

蓬左文庫に伝わる朝鮮本の来歴について、その旨、同館ではしっかり紹介していると思うが、ネット検索では、それが感じられなかった。

【ユネスコ世界の記憶】

- 甲申韓人来聘記事＝制作者：尾張藩（松平君山）／制作年代：１７６４／所蔵：名古屋市蓬左文庫
- 朝鮮人物旗杖轎輿之図＝猪飼正轂／19世紀／蓬左文庫
- 朝鮮人御饗応七五三膳部図＝猪飼正轂／19世紀／蓬左文庫
- 朝鮮国三使口占聯句＝尹趾完、李彦綱、朴慶後／１６８２／蓬左文庫

▽尾張藩・御畳奉行の好奇心

韓国はパリパリ（急げ、急げ）精神の国である。選択と集中というやり方で、一気にことを進めていく。朝鮮通

信使の研究も、そうである。日本がリードしていたこの分野も、２０００年を過ぎた時点で抜かれてしまった。あれよあれよ、といった感じである。朝鮮通信使祭り（毎年5月開催）をつくり、朝鮮通信使学会を起ち上げ、教育施設としての朝鮮通信使歴史館まで整備した。

釜山の学会が定期的に発行する『朝鮮通信使研究』を久し振りに読んだ。尾張藩士・朝日文左衛門の日記『鸚鵡籠中記』についての論文が載っていたからだ。文左衛門の家は代々、城を警備する城代組に属していたが、文左衛門のときに、御畳奉行を拝命する。新設されたポストで、藩主が寺院や別荘などに出向く前に、畳替えを済ませておくことを重要な仕事とした。

取り扱う畳の量がかなり多く、文左衛門は張りのある日々を過ごす。

藩に出入りする畳業者や畳原料の納入業者から接待攻勢を受けたり、朝日家に祝い事があれば、その都度、業者から祝いの品が届けられたりしている。

（千田龍彦氏の「尾張藩士・朝日文左衛門の日記に記された朝日家の朝鮮通信使見物」より、『朝鮮通信使研究』第14号所載）

文左衛門はお役目冥利、いわば「おいしい」仕事にありついていた。しかし、無類の酒好きで、酒毒による黄疸症状が出て、45歳（数え年）で亡くなる。

彼の日記は、作家神坂次郎氏の『元禄御畳奉行の日記』（中公新書）で広く知られるようになった。１７１１（正徳元）年、趙泰億（チョテオク）を正使とする５００人の朝鮮通信使が来日した。これを名古屋で見物した記録が、『鸚鵡籠中記』に一部出てくる。文左衛門の視線は鋭い。客館で羽目を外す通信使一行の素顔を暴く。好奇心の塊のような男であるから、観察も執拗である。

朝鮮通信使には、表の顔と裏の顔があった。先進文化を日本に伝えてあげるといった「文の国」の通信使一行にも、その自負とは裏腹に、崩れた姿を見せた。そこを文左衛門は突いていて面白い。この時代、朝鮮人には表と裏があった。本音と建て前ともいえる。

古く朝鮮通信使が往来した時代、朝鮮人がそのような姿勢も見せた。歴史を振り返ると、逆転の構図が垣間見えるから興味深い。

七、岡崎――通信使揮毫を発見。まちのお宝に

家康の生地は岡崎。１５４２（天文11）年、岡崎城内で竹千代（のちの家康）が誕生している。当時、櫓や門の屋根も茅葺。石垣などもなく、ただ堀を掘り、掘り出した土をかきあげ、芝を植え込んだ土塁がめぐらされていたといわれる。

大河ドラマ『真田丸』にひかれ、２０１６年11月６日、愛知県岡崎市を訪ね、友人の神谷敏さん（吉良町在住）の案内で岡崎城の天守閣に登った。見物人が多かった。江戸時代、岡崎藩は５万数千石。徳川家康の生誕の地であるが、意外と少ない石高である。城内には家康館もあり、徳川家康一色である。天下を統一する過程を、ビジュアルを駆使して、わかりやすく説明している。いかに、家康は賢君であったか。その賞賛ばかりである。武将と戦場の紹介ばかりで、国交が修復されて、朝鮮から「通信使」が派遣された外交物語はない。

朝鮮通信使が縁で、岡崎の方とも面識がある。小田章恵さんという。やはり徳川の歴史に詳しく、その語りに感心する。彼女は、埋もれた貴重な史料を発見した方である。

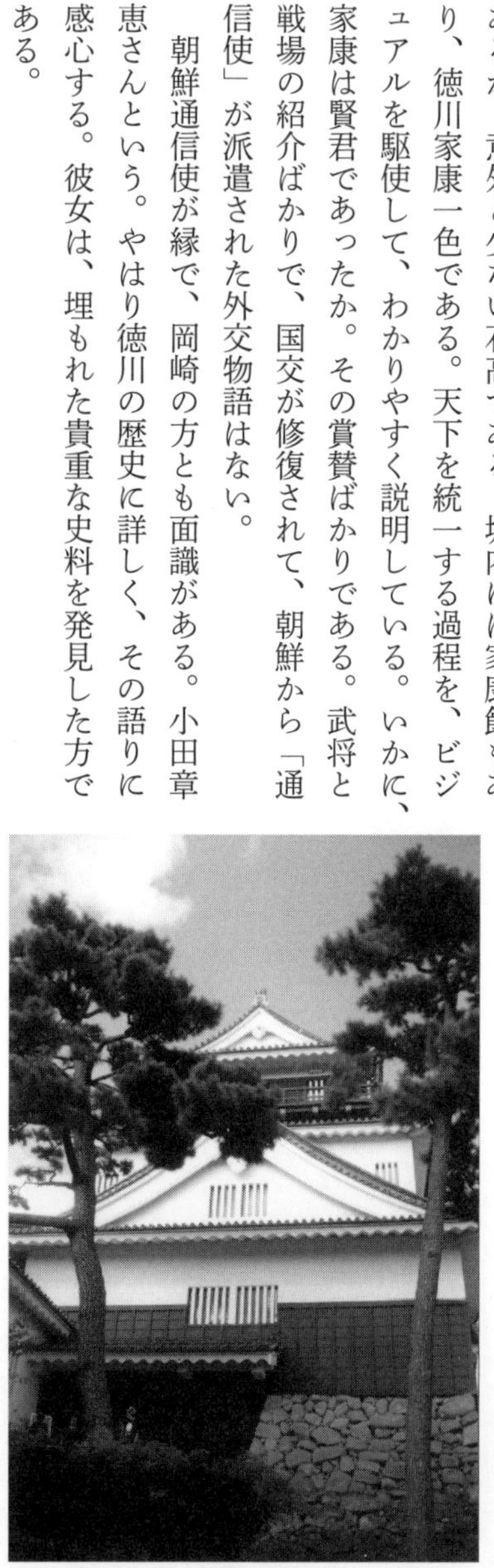
岡崎城。ここで家康は生まれた

２０１８年秋、上関（山口県）で開催された朝鮮通信使ゆかりのまち全国交流大会で会った折、彼女は読売新聞（5月26日付）の記事を手に、「地元の寺で通信使揮毫の扁額が見つかりました」というではないか。その新聞の切り抜きには、ご本人と住職、貫井正之先生の写真が掲載されている。私も知る貫井先生は、東海地方朝鮮通信使研究会の代表で、小田さんもその会員。

発見した扁額（縦65㎝、横１２０㎝）は古刹・瀧山寺所蔵のもの。その表には右から左に「龜井院」と刻まれ、末尾には「朝鮮國雪月堂」の署名と「完山李三錫印」という印が板刻されている。龜井院とは同寺の塔頭の一つ。通信使の写字官、李三錫が書いたもの。雪月堂は彼の号であり、完山とは現在の全州（全羅北道）を表す。

扁額の裏には、次の文字が刻まれていた。

天和二壬戌暦中秋朝鮮之　三使来朝之砌索之　富寺令寄附者也／学頭　亮甚／真福寺大善院　俊澄／彫之

要するに、こうである。天和2年の１６８２年に朝鮮の三使が来た折に、求めて書いてもらった。当時の同寺住職は亮甚といい、揮毫してもらった書を板刻したのは俊澄だった、となる。

この発見は、住職から「朝鮮という文字のある扁額がある」という電話が小田さんに入ったことが発端となった。彼女が朝鮮通信使に詳しいことを知ってのこと。当然ながら、通信使の揮毫ではないかと思った小田さんは、天和2年に来日した第7次の通信使が江戸に向かう途中、岡崎にも宿泊したことが想起され、貫井先生にも確認を依頼した。

小田さんが描いた筋書きの通りの扁額で、一緒に同寺で確認した貫井先生は、文化財としても貴重なものと太鼓判を押している。通信使の扁額は愛知県内では広忠寺（岡崎市）、禅源寺（稲沢市）に続き3例目。約90年ぶりの発見であった。

天和2年の通信使の洪禹載が書いた『東槎録』には、岡崎について、こうある。

（江戸への往路として）8月11日、夕方に岡崎七里の地点に至り、茶店で宿った。岡崎太守（藩主）水野右衛門大夫が各々果物一折りずつを呈上した。太守は江戸に行っており、其の家老鳥山牛之助が（帰路として）太平川の板橋を過ぎ岡崎に着いて泊まった。

使臣各位に果物と煙草を呈上した。（以上、若松實氏の訳より）

瀧山寺で揮毫した話は出てこない。予想するのは、通信使の客館（宿泊先）には、儒学者や文人、医者らが推しかけ、問答したり、漢詩文を交換したりしている。朝鮮の使節から書をねだる人もおり、対馬藩を通じて依頼している。こういう中に、瀧山寺の関係者がいたのか。

同寺が徳川家康のブレーンだった天海僧正と縁があったことから、貫井先生は「江戸で住職の亮甚が李三錫に接触し、揮毫を頼んだ可能性もある」（同紙より）とコメントしている。

貫井先生から「貴重な発見」「貴重な文化遺産」といわれ、小田さんは「やった」と心の中で叫んだことだろう。上関では、そのような素振りをしていなかったが、喜びはさぞかしと推測する。

八、静岡——久能山東照宮から清見寺へ

「先日、駿府城をガイドしているEさん（女性）と会いました。久能山東照宮と駿府城観光、ありがとうございます」。ボランティア観光ガイドのHさん（男性）からの電話である。1泊2日の「朝鮮通信使を訪ねて——静岡の旅」で、徳川家康の墓所となっている久能山東照宮でたまたま出会い、世話になった。感謝の言葉を伝えると「朝鮮通信

家康の亡骸は最初、ここ久能山東照宮に埋葬された

使について、学びたいという気持ちが起きました」と言ってきた。

久能山東照宮の五重塔跡に、朝鮮蘇鉄という案内板があり、あたかも朝鮮伝来の蘇鉄のように思いがちであったが、これは江戸に向かう琉球王朝の使節が贈ったもので、駿府城から移植されている。行く先々で通信使にからめて話をすると、Hさんは気になったようである。

観光名所のある各地には、ボランティア観光ガイドがおり、事前に予約を入れておくと、同行解説してくれる。ただ、家康が晩年、大御所として過ごした静岡なのに、通信使の説明が抜け落ちていたので、そこをガイドに入れるように指摘した。

秀吉の蛮行後、朝鮮との国交修復と朝鮮通信使派遣を、対馬藩に命じて交渉させ、実現させたのは家康であった。だから、家康と通信使は切っても切れない関係といえる。

興津の清見寺には通信使の書がたくさん伝わる。ここの説明は、静岡県朝鮮通信使研究会のメンバーがしっかり説明してくれる。なのに、これが県下のガイドに拡がっていない。そんな印象をもった。

興津・清見寺の山門。
扁額は通信使の筆による

清見寺を案内してくれた同研究会会員で元高校教師・北村欽哉先生からは、『富士山と朝鮮通信使行列絵』と題したカラー刷りの研究紀要をいただいた。「すべての使行録に富士山の記述がある」ほど、名峰は通信使の関心をさらった。名峰から、朝鮮人の日本観も垣間見えて興味深い。

静岡市の残る通信使揮毫の板額は、日本一多い。それを調査・研究することから、北村先生の通信使研究は本格化した。通信使の宿泊先は、ほとんど寺院。寺院が日朝交流の拠点となり、彼らから贈られた書がたくさん伝わる。宗派も法華宗、日蓮宗、浄土真宗、臨済宗などまちまち。それを北村先生は丹念に追求した。その成果は、講座レジメ集成『静岡県の朝鮮通信使』(静岡県朝鮮通信使研究会発行)にまとめられている。

【ユネスコ世界の記憶】

- 清見寺朝鮮通信使詩書(49点)=制作者：朴安期ほか／制作年代：1643ほか／所蔵：清見寺 ※静岡県指定文化財

▽街道を歩く。東海道・由井は風情あり

静岡市内の、朝鮮通信使ゆかりの諸寺といえば、1381(永徳元)年開創の寶泰禅寺(宝泰寺)がある。山号を金剛山と号し、臨済宗の寺。通信使の正使・副使・従事官・上官などの休憩所に充てられ、綺麗第一の名を得た。府中の臨済寺、興津の清見寺とともに駿河三刹と称されている。通信使の書画が多く伝わるその最たるものが、興津の清見寺である。

この2寺を見学した2017年3月、静岡市の史跡探訪。三保の松原で富士山の優美な姿を堪能し、さらに薩埵峠に立って、富士山を愛でようとした。しかし、雨の降る日、足元も悪い上、マイクロバスさえ入れない道であると聞いて断念した。韓流ファン(17人)を引率する手前、無理と判断した。

薩埵峠を踰ゆ。嶺路からは海を俯瞰し、ときありて風濤が崖谷にあたり、あたかも人を拍つ如くである。これは1719年の朝鮮通信使・製述官、申維翰の『海游録』に出てくる。この文を現地に立って味わいたかったが、諦めた。

薩埵峠は由比町と静岡市の境、駿河湾に突き出した山の裾にある。歌川(安藤)広重の東海道五十三次「由井」にも描かれており、昔は東海道の難所だった。

そこで、興津宿の東隣にある宿、由井まで足を伸ばした。そこには『東海道五十三次』で知られる浮世絵師・安藤広重の美術館がある。これを見ようと思った。由井が近くなる。改めて東海道が海岸に沿って走っていることが分かる。沿道の家は軒続き。戸建てでなく、軒が続いている。瓦葺きの民家は時代を感じさせる。

由井で降りて、安藤広重美術館まで歩いたが、東海道の街道筋には、古い家屋が残っている。美術館は静岡市東海道広重美術館という。この美術館には、5代まで続いた広重のうち、3代までの作品を展示している。江戸後期から明治にいたる時代の変遷が、風景画を通して楽しめるという美術館である。ただ、宿場町・由井にありながら、美術館の建物がありふれた鉄筋。浮世絵といえば、江戸情緒を感じられる民家か商家風の木造建築に作品が展示されているのだろうと思っていたから、違和感があった。

余談になるが、浮世絵師・葛飾北斎も由井をテーマに、通信使の高官が「清見寺」と筆を揮う姿を描いている。東海道五十三次のなかで、静岡は大きな比重を占める。宿が22あるからだ。東西に長い県で、宿場町の雰囲気を楽しめる。全て歩きたいと思うが、一部分、つまみぐいする程度の歩きが限度である。

九、箱根――富士山、「白頭山の如し」

日本の象徴といえば、富士山。ここにも外国人観光客が殺到している。遠くから拝む富士山は、葛飾北斎の富嶽三十六景など江戸時代の浮世絵で知られるように、霊峰を印象づける山容である。ただ、登山となると、失望するらしい。登山者の捨てたゴミが目立つからだ。世界遺産にも登録された名峰、霊峰のイメージを守るため、入山規制も叫ばれる時代に入った。

来日した朝鮮通信使の目的は江戸城で国書を交換すること。そのため、大坂から陸路、江戸に向い、駿河に入ると否が応でも富士山が視界に入ってくる。朝鮮の名山と比較して、「あたかもわが朝鮮北土の長白山（白頭山）

三保の松原から望む富士山。通信使も称賛

の如し」と、申維翰（1719年の通信使製述官）は記し、こうも印象記を書いている。

けだし、万丈の高峰が屹然として空につっぱね、その状はあたかも円簪の如し。そして山の頭部は、白玉の如くにして、一塵も染まぬ。腰から下はまた、草木生えたるも鬱茂たるにはいたらず、これを望めば濯々然たるを覚える

富士川の舟橋を渡り、富士山の裾野で一夜を明かした申維翰は、世話役の日本人が発する「その山の真面目を見るを得て、賀をなす」声を、耳にしている。霊峰を望めることは、縁起担ぎにもなったことを知る。

富士山を描いた江戸時代の画家は、数多くいた。その一人、南画の大家、池大雅は通信使に随行した画員・金有聲（キムユソン）（1764年来日）と会い、即興の妙技を見せられて感嘆した人である。「朝鮮の絵師は、富士山の山襞をどう描くのだろうか」。これを尋ねそこなった池大雅は、それを書簡にしたため、金有聲に質問している。

うるわしい日朝の交流劇であるが、儒学の国の中華意識に固まった金仁謙（書記として1764年来日）は、三島で富士山を見て、次のように鼻で笑っている。

優雅にして高大　雲の果てに届いている　奇観とは思うが　先人の日記に見るのとは　相当に異なる　この地の人々が称讃して　天下の名山中　比するものなしというが　それは井の中の蛙同然　笑止の極みである

興津の清見寺には、立ち寄った通信使が漢詩を多く寄せている。その中には「小華」という言葉を記したもの

が多々ある。小華とは小中華のこと。中国と並び、文化的に優れた国としての誇りが刻まれた文字である。朝鮮国王が日本出立に際して通信使を励ます言葉として、「君命に恥じぬように、わが国の体面を汚さぬように」と、儒教の国の威厳を強調している。その自負心が、漢詩にも反映されているとみるべきであろう。このように、北村欽哉先生が解説してくれた。

箱根の嶺を越えていくうちに、「海東の名山中　第一であると納得する」と金仁謙も、素直な心情を吐露している。

通信使高官が書いた使行録、いわゆる日本探訪記には、どの書にも富士山が載っている。「国中の名山名水は、沿路で見たところでは、富士山と琵琶湖より大なるものはない」（申維翰）というほど、日本土産のような印象を、通信使一行に与えた。

十、三島から小田原、品川まで

三島から箱根八里の山越え。32㎞ある。標高８４０ｍの山道。登りつめ、少し下がったところが関所。ここは馬に乗ったまま通れない。通信使は高官の三使（正使、副使、従事官）を除き、下馬して通過した。箱根は、雪道で難路を強いられたり、まさかの山火事にも遭遇するなど、通信使は悲鳴をあげている。

山火事は１７６４年、第11次の通信使を襲った。その恐怖を「ぐずぐずしていれば　焼け死ぬ恐れありと　駕籠かきを促し　急ぎ山を下る」と書記の金仁謙は『日東壮遊歌』に記す。小田原には日暮れ到着するが、「人々の気性は激しいというが　美人も多く見かける」というように道中の観察は怠りない。

箱根湯本の近くには臨済宗大徳寺派の古刹・早雲寺があり、その山門には「金湯山　朝鮮國雪峯」と刻まれた扁額が掲げられている。雪峯とは写字官・金義信の号で、彼は第５次（１６４３年）、第６次（１６５５年）に随行している。通信使が早雲寺に立ち寄っていないのに、このような扁額が残る。それは早雲寺の僧が、通信使宿泊の小田原の宿舎まで訪ね、書いてもらったのではないかと推測される。

箱根八里の山越えをして、小田原に達した通信使。江戸入りまで、あと3日となる。その間の経過を、金仁謙の『日東壮遊歌』で追体験してみたい。

二月十四日　小田原→大磯

十四日、快晴　陽が昇ってから出立

大河を一つ渡る　ここには船橋が作られていた

右手を海に臨みつつ　四里を行き大磯にて中食

長い旅路にも飽きたので　見物をすることにした

人里はすこぶる賑やか　ここも相模の国というそうだ

ここにある大河とは、酒匂川。船橋（舟橋）とは、舟を繋ぎ合わせた橋である。これを渡り二宮へ。二宮には明治時代まで通信使行列を真似た唐人踊りが存在した。大磯の手前の宿場町「梅沢の立場」の茶屋で接待を受け、さらに進んで大磯で昼食となる。その場所は小嶋本陣で、その跡地（大磯町北本町）には記念碑が立っているという。大磯での接待係りは、明石藩。食事のほか、菓子や煙草まで出されている。

二月十五日　大磯→神奈川→六郷川（多摩川）→品川

十五日、五里進み　神奈川にて中食

さらに一里余りを行く　小雨降りあたりはうす暗い

雨具を付けて三里行き　六郷川を渡ると

このあたりから集落が　途切れることなく続く

これより一里余り　今日の泊りは品川であるが

一方は茫々と野が広がり　一方は海に臨んでいる
武蔵の国に属すといい　行き交う舟も立派である

通信使一行は、相模川でまた舟橋を渡る。保土ヶ谷で休息し、神奈川宿の客館で昼食をとる。京都の淀から陸路、江戸近くまで踏破してきた通信使は、その間、沿道が清潔なことに驚く。松並木の枝も刈り込まれていることにも。それもそのはず、幕府が沿道の村々に御触書を出して、厳命していたからである。

品川の宿は、東海寺塔頭の妙解院。神奈川で足を止めた第1次（1607年）の宿は、金蔵院（金蔵寺）で、ここは家康ゆかりの寺であり、将軍家の宿泊所にもなっていた。京浜急行の仲木戸駅近くに存在する。

幕府が通信使の来日を重視したことは、1711年、将軍家宣のブレーン、儒学者の新井白石がわざわざ、このとき宿泊した川崎の宿まで出迎えに来ていることからも分かる。

それは江戸入り直前、多摩川を渡るときの船もそうである。幕府が用意した4隻の船に乗ったが、淀川を遡行するときに乗った川御座船ほど豪華ではないが、それを彷彿させる彩りを施した船であった。絹の布に覆われ、金箔や漆塗りによって光輝いていたといわれる。

小田原から品川まで、通信使の足跡をたどるにしても、これといった史跡が残されていない。通信使が泊まった寺に、通信使の書画があるわけではない。なかには、寺そのものが寂れてしまって、往時の面影を偲ぶようすがとてないのである。

「21世紀の朝鮮通信使ＳＯＵＬ–東京　日韓友情ウォーク」で、この間を歩かれた方々が、それを一番実感しているのかも知れない。

第七章　傑出した徳川将軍とは

東京・芝（港区）の増上寺は、徳川家の菩提寺として知られる。1393（明徳4）年、酉誉聖聰（ゆうよしょうそう）上人が創建した浄土宗の寺で、もともとは江戸貝塚（現、千代田区紀尾井町）にあった。家康の入府で徳川家の菩提寺となり、浄土宗の学制総録所として、僧侶3000人が修学に励む寺となった。

現在の大殿や開基堂などは昭和、平成に大規模な復興がなされた。徳川将軍家墓所は大殿の裏手にある。6代将軍・家宣をはじめ現在6人の将軍と皇女和宮、各公の正室、側室、その子女の墓所がU字型の墓園に広がる。墓碑は時代時代の流行の形態をとどめているが、いずれも規模が大きく、その前に立つと当時の栄華が偲ばれる。

徳川家の菩提寺は、増上寺のほかに、上野の寛永寺、三河大樹寺（愛知県岡崎市）がある。家康が「徳川の位牌は三河大樹寺に祀るべし」とい

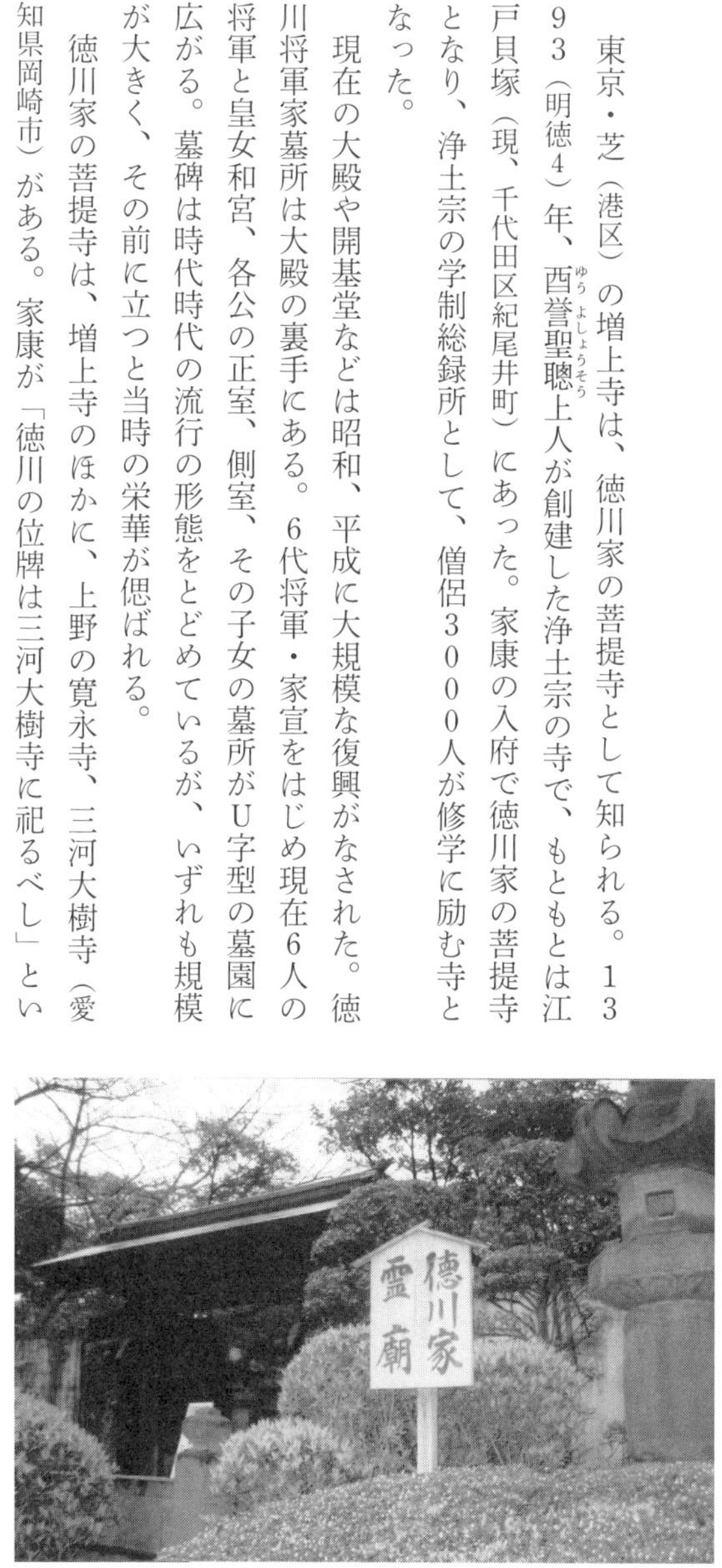

徳川家の菩提寺・増上寺にある霊廟

ったように、本来の墓所は三河大樹寺であった。

一、歴代将軍の運、不運

歴代将軍の①没年齢、②死因、③側室の数、④子女の人数などを列挙すると、次のようになる。

●初代・家康＝①75歳、②胃がん、③19人、④19人／●2代・秀忠＝①54、②胃がん、③2、④9／●3代・家光＝①48、②脳卒中（高血圧）、③9、④7／●4代・家綱＝①40、②未詳、③0、④0／●5代・綱吉＝①64、②はしか→窒息死、③3、④2／●6代・家宣＝①51、②インフルエンザ、③4、④6／●7代・家継＝①8、②急性肺炎、③0、④0／●8代・吉宗＝①68、②再発性脳卒中、③6、④5／●9代・家重＝①51、②尿路障害（脳性麻痺）、③2、④2／●10代・家治＝①50、②脚気衝心（心不全）、③2、④4／●11代・家斉＝①69、②急性腹症、③16、④57／●12代・家慶＝①61、②暑気当たり、③7、④29／●13代・家定＝①35、②脚気衝心（脳性麻痺）、③0、④0／●14代・家茂＝①21、②脚気衝心（心不全）、③0、④0／●15代・慶喜＝①77、②急性肺炎、③未詳、④24（以上、篠田達明著『徳川将軍家十五代のカルテ』新潮新書より）

歴代将軍15人の中で、最も長生きしたのは慶喜で77歳、最も短命だったのは家継8歳であった。寿命の長さと子供の数が健康のバロメーターといえるが、その尺度でみると、29人の子供をつくった家慶、77歳で死去した慶喜、75歳で逝った初代家康は体力壮健の人だった。

二、朝鮮と係わった将軍は？　最たるは吉宗か

秀吉の朝鮮侵略で、断絶した国交が修復され、朝鮮通信使が１６０７年から１８１１年まで計12回、来日した。

将軍の代替わりごとに、主として派遣される慶賀の外交使節が通信使である。江戸城で国書を交換して、お互いの信義を確認し、両国の平和・友好に貢献した。江戸時代、徳川将軍には15人が就き、政治を仕切った。名君とは誰か、それぞれの業績を通して、ほぼ評価は定まる。では、朝鮮に関心を寄せた将軍とは？　となると自ずと絞られる。

通信使を迎えた将軍は、家康、秀忠、家光、家綱、綱吉、家宣、吉宗、家重、家治、家斉と10人を数える。この中で、否応なしに朝鮮に深い関心を寄せざるを得なかった将軍は、4人いる。家康、家光、家宣、吉宗である。

家康は、秀吉の朝鮮侵略の後始末をして、朝鮮との修好を軌道に乗せた。第1次の通信使（回答兼刷還使といった）は江戸からの帰路、家康のいる駿府城に寄って歓迎され、駿河湾遊覧の楽しみ、火縄銃購入の意向を伝え、承諾を得ている。家康は、豊臣一族を滅ぼした、朝鮮側にとって好感できる将軍だった。

家光は、発覚した対馬藩の国書改ざん事件を裁いた関係で、朝鮮問題に深くかかわった。自らも審判し、下した判決は対馬藩には御咎めなし。家役を引き続き精励するように諭した。事件後、泰平之賀を使命に来日した通信使に、竣工した日光東照宮参拝を持ち掛け、前例のない儀礼に通信使を困惑させたが、対馬藩主・義誠の顔をたて、遊覧という名目で日光まで行った。

家宣は、執政役の新井白石に全幅の信頼を寄せた。白石の打ち出した通信使待遇を簡素化する方針を容認した。このため、通信使と対馬藩の反発を招いたが、白石の采配に対して褒美を与えている。

以上、3将軍とは異なり、通信使はもとより、朝鮮に深くかかわったのは、吉宗である。

吉宗は御三家の一つ、紀州藩2代藩主徳川光貞の4男ながら藩主になり、さらには、家宣、家継の後に将軍に就いた。当時、財政悪化は甚だしく、吉宗は在位30年の間、享保改革という改革政治を貫く。

家宣のとき、不評だった通信使待遇の簡略化も、天和の旧例に戻された。通信使・対馬藩ともに、胸をなでおろしたことだろう。

吉宗は、詩歌管弦といった貴族的趣味には乏しかったが、実用的・実証的な学問には関心を寄せた。彼の身辺には、中国の経書・史書はもとより、農業全書、和漢事始、さらには貝原益軒や熊沢蕃山の書などが置かれていた。彼は暇をみつけては読み、周囲の人に勧めている。その中に対馬藩を通じて取寄せた朝鮮の許浚（ホジュン）（国王・宣祖の主治医）が編纂した『東医宝鑑』も加わる。これは家庭医学書で、宣祖、光海君の二代の治世下を経て完成している。

赤字財政下、農業の体質強化、輸入品の国産化を狙い、吉宗は朝鮮から輸入していた朝鮮人参の国産化を打ち出した。韓方の薬草・薬剤にも注目し、対馬藩に朝鮮半島の動植物調査を命じている。

当時、朝鮮医学を学ぼうとする国内の風潮をうけて、朝鮮医書の輸入、渡海医官制度、朝鮮通信使に随行する医員などによって、医学交流が続いていた。吉宗は、これをもっと進化させる方策を模索・実行したのである。

朝鮮通信使には、2人の医員が帯同し、江戸往復の間、発病した者の治療に当たった。そのほか鍼灸に通じた随行員もいた。日本の医者たちは、彼らから朝鮮の医学を聞けることを楽しみにした。ちなみに1636（寛永13）年、江戸で野間三竹は医員、白士立（ペクトリプ）から、許浚の『東医宝鑑』について会話を交わした。

1682（天和2）年、幕府は通信使に随行する医員2人に加え、良医1名を厳選してほしいという希望を出した。臨床医とは別に基礎医学に通じた医学者の派遣をもとめたのである。それに該当するのは、宮廷医の「内医院正」という高位の医者であった。

1719（享保4）年の朝鮮通信使製述官、申維翰の『海游録』には次のように書かれている。

> 医学は、日本でもっとも崇尚するものである。天皇、関白をはじめ各州太守は、みな医官数人を置いて、廩料（りんりょう）をあたえることははなはだ厚い。ゆえに、医官はみな富む（中略）製薬は精妙で、京外（中央や地方）の閭巷（りょこう）や道筋の間には金牌（きんぱい）が林の如く、それには何丸、何丹、何湯、何散などの諸薬名を書いている。そのうち和中散、通聖散というのがもっとも多い。

享保改革で、吉宗は推し進めた緊縮政策を、尾張徳川家の宗春が放縦華美なる政治で痛烈に皮肉ったが、結果は吉宗の勝利となる。宗春は膨大な赤字を累積させたのに対して、吉宗は着々と財政黒字を計上するのである。
吉宗は68歳で亡くなったが、遺言によって霊廟はつくらず、綱吉の廟に合祀された。

三、紀州藩は朝鮮人を侍講にしたことも

釜山の李炳壽(イビョンス)さん。十数年前、九州大学で開かれた李退渓国際学会で、お会いしたのが縁で、エッセイ集『短い人生　永い学徳』を郵送でいただいた。まず、本の表紙を見て、驚いた。和歌山市内に「李真栄(イジニョン)　梅溪(メゲ)顕彰碑」があり、その前で写った写真が裏表紙に載っている。よく見ると、列の中に知り合いの辛基秀先生も立っている。辛基秀先生は、朝鮮通信使の研究家として知られ、ゆかりの町の地域おこしに貢献された方である。京都生まれの在日二世。2002年死去。各地で講演したが、通信使が目に浮かぶような、その語り〝ジンギス節〟は、好評だった。李真栄の顕彰碑建立に、辛先生がかかわっていたことは知っていたが、韓国の本に、まさか載っているとは……。

李真栄は、秀吉の朝鮮侵略の折、紀州に拉致された。大坂での苦難の生活を経て、和歌山の海善寺に住んだ。彼と接した住職が、彼の学識の深さを知り、紀州藩主、徳川頼宣の侍講に推薦したことから、彼の人生は開けた。真栄の子・梅溪も、紀州藩主の侍講を務めた。彼が書いた、「父母状」という文範書が有名である。藩内の各家庭に配られ、暗唱実践するように藩主が命令した。その内容は「父母に孝行し　法規を守り　廉恥と謙遜をもって　職分に充実し　正直を根本とせよ」というもの。この教えが明治維新まで250年間、この地域で教育指針となったというのである。地域を支える教えを注入したこの親子二代の功を忘れないために、彼ら亡き後、梅溪餅をつくる店も現れた。一説によると、藩主がそれを命じたという。

辛先生は、通信使の歴史を掘り起こす中、紀州に儒教の気風を吹き込んだ真栄・梅溪親子の存在にもたどりついたのであろう。彼らの功績に感銘し、顕彰碑建立にまで走った。

8代将軍・吉宗が育った紀州には、朝鮮人を侍講にするほど開かれた学問的風土があったことを、李炳壽さんの著作を通して、改めて認識した。

第八章　江戸滞在記と川越、日光

一、江戸――儀礼に追われ1カ月余り

箱根を越え、小田原を過ぎて酒匂川の船橋を渡り大磯へ。さらに馬入(ばにゅう)川の船橋を渡って藤沢、品川へ。長旅の最終コースへ入った通信使は、出迎えの幕府の先導を受け、江戸市民たちが正装して待ち構える江戸市中へと入って行く。

釜山を船出して、3～4カ月をかけて江戸に到着した朝鮮通信使一行は、徳川将軍との国書交換に臨むが、それ以外に歓迎儀式に追われ、江戸滞在は1カ月にも及んだ。1748（寛延元）年、来日した第10次の通信使の場合、江戸での公式行事は、次のようになる（仲尾宏著『朝鮮通信使と江戸時代の三都』明石書店を参考にした）。

5月22日　上使問慰
　27日　江戸城登城（進見）
　晦日　曲馬（馬上才）下見
6月朔日　江戸城登城（饗応）

2日　溜之間御老中若年寄衆
3日　馬上才上覧
4日　御三家方
6日　対馬守招請
7日　御暇（辞見）
8日　国忌
9日　対馬守方曲馬
10日　射芸
13日　発足

国立歴史民俗博物館（千葉県佐倉市）が所蔵する「江戸図屏風」に朝鮮通信使が入城する場面が描かれている。3代家光の時代、幕府の御用絵師、狩野派の作といわれる。金箔地に極彩色の華やかな絵柄。将軍との国書交換のため、入城する通信使一行の様子が細かく描写されている。当時、江戸城の表門は大手門で、通信使はここから入城した。辛基秀著『朝鮮通信使の旅日記』（PHP新書）によると、当時のにぎわいが目に浮かんでくる。次のようにある。

通信使が入城した江戸城の大手門

大手門の下乗橋右手の濠（ほり）ばたには、朝鮮通信使からの贈り物が、毛氈（もうせん）を敷いた床机（しょうぎ）に並べられている。陶磁器、朝鮮人参、色紙など別副（べつぞえ）の品の数々、特に珍重されている虎・豹の皮は一番手前に置かれ、立膝の武士たちに数人の朝鮮人が説明している。

国書を奉じて、江戸城に入城するとき、第一城門のあたりまでは見物人の入場を許していたのか、鮮やかな衣装を着た群衆で埋め尽くされていた。

第一城門を入ると、見物する男女が簇々として蚕頭の如く、みなその衣は錦繡である

財政の逼迫で、8代吉宗の享保改革以降、たびたび奢侈禁止令が出されていたが、通信使見物に衣装を着飾って出かける人が絶えなかった。異国情緒あふれる隣国の使節の江戸入りに民衆は、心が高鳴って、幕府の禁令もどこ吹く風であった。

国技・大相撲の本拠地、JR両国駅の近くに江戸東京博物館がある。江戸の生活文化を多角的に紹介する同館ではあるが、通信使について展示された史料は皆無に等しい。通信使が将軍や幕僚に見せて江戸で評判を呼んだ馬上才についても取り上げることはない。寂しい限りである。

【ユネスコ世界の記憶】

• 朝鮮国書（15点）＝制作者：対馬藩作成、朝鮮王朝／制作年代：1617ほか／所蔵：東京国立博物館

※重要文化財

○東京の歴史散策

⑴ 幕府指南役、林家

徳川幕藩体制は、儒教によって保たれた。その指南役が林家である。その始祖・林羅山（はやしらざん）は23歳のとき、京都の本法寺に宿泊していた朝鮮の僧、松雲大師（四溟堂惟政）に会った。松雲大師は探賊使の任務を帯びた外交僧で、朝鮮との国交修復を請う家康の本意を確かめるために派遣された。このとき羅山は民間の一学徒で、ただ些か学問のある若者に過ぎなかった。

そのときの問答が羅山の『韓客筆語』に載っている。松雲が羅山に、『論語』の言葉などをめぐって質問を発し、羅山がこれに答えた。問いは5回で短いやりとりである。最後に松雲が「君の朝夕心を用いる処、また如何」と問い、羅山が「余が工夫、唯だ主一無適（一を主として適く無し）に在り」と答えた。

松雲は、羅山を評して「主一（の工夫は）至って佳。君は年未だ而立（30歳）に及ばざるに、頗る書を看るの眼有り。君の為に之を多とす」と褒め言葉を書いた。羅山の読書の質と量とについては、察知されたといえる。

林羅山ほど、通信使に会った儒学者はいない。都合5回を数える。50歳を過ぎても1636（寛永13）年＝羅山54歳、1643（寛永20）年＝61歳、1655（明暦元）年＝73歳、と会っている。ただ、最初は構えたところが往々に見られた。

第4次の通信使（1636年）に対して「朝鮮国の三官使に寄す」という書簡を与えて、朝鮮国の事跡についての質問を7カ条出している。

①朝鮮開国の君である檀君が国を享けること1千余年というが、どうしてそのように長生なのか。また、中国歴代の史書に、朝鮮のことはよく出ているけれども、みな檀君のことを載せていないのは何故か。（朝鮮の口伝は）斉東の野人の語だからだろうか。

②唐の太宗が高麗を伐ったとき、飛矢が目に当たったことの真偽は。中華の書に載っていないのは何故か。

③昔、鄭夢周という人が使いで日本に来たことがあり、この人は性理の学を日本に伝え、忠義の気風のある人であったが、帰国の後、朝鮮ではこの人を殺したと聞くがどういう罪状で殺されたのか。なぜ殺したのか。おかしいではないか。

このように、林羅山は通信使が応えにくい問いを糾した。朝鮮が文化的には日本よりは優位にあるという態度をとるのに対して、林羅山は極力、対等の関係を求めた。通信使への書簡には、肩肘の張った感じがうかがえる。

林羅山の朝鮮使臣との筆語は、細々とした朝鮮の文物制度に関わる問いが多く、批判の対象となった。これは林羅山の知識欲のあり様を示しているのであろうが、将軍家光でさえ、林羅山の問いを次のように批判している。

朝鮮の使臣等来聘せし時、林道春信勝が、かの国人と筆語せしに、おほくかの国の事蹟、典章など徴訪せしを聞せられ、かかる事よりは、かしこにては治国の要はいかに心得、仁義忠信の理は何とわきまえたるなど

と、とはまほしき事よと仰せられしとぞ

（『武功雑記』徳川実紀大猷院実紀附録所収より）

林羅山と朝鮮使臣との交際には、初め１６３６（寛永13）年のときは羅山に構えたところが随分と見られたが、次第に友好的なつきあいとなっていった。寛永13年、寛永20年、明暦元年の使節は、羅山に土産数品を贈っている。これに対して羅山も詩や文章で答礼し、また、朴安期に対しては単衣１領、葛衣１領を贈ることなどしている。

(2) 通信使が宿泊した浅草界隈

江戸での朝鮮通信使一行の宿館は、１６０７（慶長12）年から１６８２（天和２）年までは日本橋馬喰町にあった本誓寺だった。知恩院系の浄土宗寺院で塔頭16院を擁した。しかし、１６８２年の「お七火事」で類焼してしまった。このため、通信使の宿館は浅草の東本願寺に移り、第11次（１７６４年）の通信使まで利用された。東本願寺の境内も広大、壮麗であったことが、１７１９（享保４）年の使行録からよく分かる。

旅宇頗壮麗庭前引水作池築土為造山、多植花木架以小橋通人往来

この年、通信使の製述官として来日した申維翰の『海游録』には、浅草に入る道中の様子が、次のように記されている。

見物する男女が塡塞充溢して、繡屋を仰ぎ看れば、梁楣間に衆目があつまって一寸の空隙もない。衣の裾には花が漲り、簾幕は日に輝く。大坂、京都に比べて、また三倍を加う。およそ板橋を過ぎること三、里門を経ること百余、一つの大門があって、牓に曰く、「金竜山」と。また数百歩ほど進んで使館にいたる。館名は実相寺、一名を本誓寺ともいい、旧称は東本願寺である。前から、我が国の信使は必ずここに館した。今年の春、失火して灰燼に帰したが、数千間を新築した。

現在、東本願寺には当時の面影はない。本堂の甍にその面影を偲ぶことができる。通信使の江戸滞在は、１カ

通信使の宿泊所となった浅草・東本願寺

月にも及ぶため、幕府は巨額を投じて宿館の修復改修を重ねたといわれるが、その一端が読み取れる。

朝鮮通信使の高官が残し、いまに伝わる遺墨としては、浅草閻魔堂の扁額があげられる。

同殿に掲げられた黒地・楷書・金字で書かれた丈9尺、幅4尺の扁額で、落款に『戊辰流月朝鮮国真狂　金啓升（キムケスン）書』とあって1748（寛延元）年度に来朝した写字官の筆になるものであることが判明している。

（仲尾宏著『朝鮮通信使と江戸時代の三都』より）

現在、浅草は東京観光の目玉となっており、「金龍山」浅草寺に至る仲見世は週末ともなると、押すな押すなの混雑ぶり。コロナ禍の前まで海外からの観光客が目立った。飲食店、土産屋などが軒を連ねる、浅草寺周辺の伝法院通り、雷門通り一帯は縁日気分で溢れ、どの店も繁盛しているように見えた。通信使が3度、幕府に請われて「遊覧」のため足を伸ばした日光東照宮には、東武伊勢崎線の始発・浅草駅でこの路線を利用すると便利である。

(3) 通信使に託された手紙……ある日朝の友情物語

いまネットの普及で、簡単に海外の友人と話をかわすことが出来る便利な時代であるが、ネットはおろか、郵便制度もなかった時代、国境を越えての手紙のやりとりは、どうしていたのだろうか。

誰か人に託すしかない。江戸時代の話である。日本には海外に開かれた四つの窓口があった。琉球、出島、対馬、松前である。この地域には、海を越えた人の往来がある。そこで、海外に心許す友人がいれば、彼らに手紙を託すことになる。

当時、手紙が往来するには、長い時間がかかる。手紙を書いた本人に返信が戻ってくるとき、その本人が亡くなって、この世にいないこともありえる。

これは起こりえた。実際にあった。朝鮮の洪世泰（ホンセデ）と、将軍に仕える幕儒の人見鶴山（ひとみかくざん）（1638〜1696、人見竹洞（ちくどう）の表記が一般的）である。1682（天和2）年、朝鮮通信使裨将（訳官）として随行した洪世泰は、江戸で人見鶴山と筆談、唱和をして親しくなる。お互い、心が通じ、いい印象をもったのであろう。洪世泰は帰国後、次の通信使に手紙を託した。

しかし、人見鶴山に届いたときには、彼は亡くなっていた。すると、鶴山の子供が手紙を読んで、涙しながらお礼の返書を書き、通信使に託した。届けられた、返書を手にした洪世泰は、死を悼む詩を添えて、おくやみの書を、また通信使に依頼したという。

海峡を、国境を越えた、何とも温かい日朝の友情物語である。

人見鶴山は京都出身、禁裏の医師の子である。幼少から、幕府の儒者・林羅山に学んだ秀才で、3代家光と4代家綱に仕えた。1682年、来日した通信使を迎えて応対し、唱和といって通信使高官と漢詩文を取り交わしている。

このときの唱和は、ユネスコ世界記憶遺産登録リストにも盛り込まれている。韓国所蔵の『朝鮮通信使酬唱詩』である。日本の儒者・山田復軒（ふっけん）がまとめ、巻物にしている。

二、川越――なぜ通信使行列が?! 商人の心意気

川越(埼玉県)唐人揃いパレード実行委員会から、毎年のように11月に開催される大会報告書が届く。事務局長を務める小川満さんから度々誘いを受けているが、なかなか参加できない。大会は回を重ねるごとに、にぎやかさを増しているようで、伊豆・小笠原諸島の神津島で亡くなった朝鮮人女性「おたあジュリア」に扮した女性も参加している。おたあジュリアは、秀吉の朝鮮侵略で連行され、回り回って家康に奉公するが、クリスチャンゆえに迫害され、島流しされた女性である。

スナップ写真を見ていると、朝鮮通信使行列に「副使」(高官、三使のひとつ)として、仁川市在住の朴成培(パクソンベ)さんが抜擢されている。かつてサイクリング旅行で福岡に来たとき世話をした友人である。彼は川越唐人揃いのレギュラーになった感がある。通信使を率いる最上位の高官「正使」役には、呂運俊(リョウンジュン)さんも抜擢された。彼は、1607年に来日した第1回目の通信使・正使だった呂祐吉(リョウギル)の第11代目直系子孫である。

小江戸といわれる川越市。商人のまちで、古い町並みが残る。江戸が近かったせいか、川越商人は商いの世界を拡げた。長崎貿易で、東インド会社が持ち込んだインドや東南アジアの織物をはじめ海外製品を扱っている。明治維新後、イギリスから糸を輸入して、綿織物を作り出した。いわゆる川越唐桟(とうざん)である。当時、人気商品となっている。

商人の街であるゆえに、開明的な風土が育まれた。通信使は将軍・家光に要請されて以来、3度にわたり東照宮を遊覧・参拝するため日光へ行く。そのとき、埼玉を通過しているが、川越のまちには入っていない。なぜ、通信使行列があるのか。川越の商人が種をまいているのである。

川越の豪商・榎本弥左衛門(えのもとやざえもん)が1655(明暦元)年、江戸入りした通信使の行列を見て、その感動を日記に記した。それ以後も、川越商人は通信使行列を見ていたのであろう、ついに1700年頃、川越氷川祭礼(川越祭り)

に、通信行列を真似た仮装行列「唐人揃い」を組み込んだ。唐人とは、外国人をさす言葉である。川越氷川神社には、『朝鮮通信使行列図大絵馬』が奉納されていることからも、異国の使節、通信使が与えたインパクトの大きさを知ることができる。

唐人揃いは、川越商人によって醸成された多文化共生のまちづくりを、シンボリックに物語るパレードとして、大きな力を発揮するものと思われる。市民にも開明的な風土を再認識させるいい機会となっているはずである。

三、日光――家光将軍の要請受け、東照宮へ

日光連山は修験道の霊場で、奈良時代に勝道上人が二荒山大神（ふたらやまのおおかみ）を奉祀したのを起源とする。家康は死後、護国神の夢を抱き、「日光に小さな堂を建てよ」という遺言を残した。それを受けて、秀忠は社殿を立て、家光はさらに荘厳化して、幕府の権威を示した。一連の造営を進めたのは、家康に仕えた南光坊天海（なんこうぼうてんかい）だった。

久能山東照宮（静岡市）から日光へと、家康の遺骸を移した（遷祀という）のは、1周忌後。家康自らが望んだ死後処理に沿って行われた。3代将軍となった家光は、日光東照社を東照宮に格上げし、巨額を投じて、全面的な建て替えに乗り出す。幕府直轄の国家事業にふさわしく、当時の一流どころが監修に当たり、家康の21回忌にあたる寛永13（1636）年に完成している。

天海は天台宗の僧ながら、天才的な知恵者である。北辰信仰にも通じていたようである。というのは、日光の入り口、主要な寺社、霊廟の配置を線で結ぶと、北斗七星が現れるというのである。それほど、天海は家康の神格化に、全身全霊を傾けた。

祖父・家康を敬愛した家光、家康の有力ブレーンだった天海の両人が主導して、豪華絢爛な霊廟が日光に出現した。

通信使は第4次から計3回（1636年、1643年、1655年）、日光に行った。国書改ざん事件の裁きが下された後、朝鮮外交を担う対馬藩主・宗義成の外交手腕を試すような形で、日光参拝が提案された。ときの将軍、家光の発案である。その狙いは、荘厳華麗な東照社への正式参拝によって、日光山の聖地化を一層進め、武家諸法度や参勤交代制度など大名統制を強固にし、政治的な効果を最大限に演出しようという点にあった。

初の日光行きは、朝鮮国王の許可がない外国の寺社参拝ということで遊覧と位置づけられた。2回目、3回目は正式の参拝となった。

1643（寛永20）年の通信使は、日光山東照社参拝と銅鐘・三具足（燭台、香炉、花瓶）献納を主とした。どのような形で家康廟を参拝するのか。心配になった宗義成の質問に、正使は「国王はすでに祭祀を行うことを許している。礼拝は自ずから条文があるので、不届きはない。心配しないで」と答えた。しかし、正使の東照社での礼は、四拝の最高拝礼ではなかった。

家康の墓所に、朝鮮から贈られた三具足が並ぶ

江戸城で正使は、日本側に強要されて四拝を行ったが、それは将軍家光に対してではなく、朝鮮国王の国書に行った。依然、細かいところで日朝の思惑に隔たりがあった。通信使が国書をいかに大切に扱ったか。江戸へ向かう道中、常に中央を行く正使の目の前に龍亭子（4人で担ぐ国書を納めて持ち運ぶ専用の箱）を歩かせ、日光道中でも国王親筆の持ち運びを日光山門跡にしか託さなかった。

日光東照宮は当初から天海僧上の主張もあって、山王一実神道による神仏混合を採用した。薬師如来を本地仏として祀り、他の日光山内の社寺と渾然一体となっていた。しかし、明治時代初頭に発令された神仏分離令により、日光東照宮、二荒山神社、輪王寺の「二社一寺」に集約され、日光東照宮は改めて正式の神社となった。

日光東照宮は現在でも多くの社殿や寺宝を所持し、本殿、石の間、拝殿、陽明門、回廊などと共に国宝に指定され、「三猿」「眠り猫」「想像の象」などの彫刻は日光三彫刻として名を馳せている。

境内は輪王寺本坊、大猷院廟、二荒山神社などを含め「日光山内」として国指定史跡に指定され、「日光の社寺」として世界遺産に登録されている。

【ユネスコ世界の記憶】

- 朝鮮国王孝宗親筆額字＝制作者：孝宗／制作年代：1655／所蔵：日光山輪王寺　※栃木県指定文化財
- 東照社縁起（仮名本）5巻のうち第4巻＝狩野探幽ほか／1640／日光東照宮　※重要文化財
- 東照社縁起（真名本）3巻のうち中巻＝親王・公家／1640／日光東照宮　※重要文化財

▽陽明門そばに友好の朝鮮鐘が

日光東照宮は、ドイツの建築家ブルーノ・タウトが京都の桂離宮と比較しながら、装飾過剰で日本的美とはかけ離れていると、評価を下した。確かにそうである。中国的である。日本の簡素の美、枯淡の美、松尾芭蕉の俳諧理念にもある「わび」「さび」といった世界とは大きく異なっている。当時の中国崇拝が、結晶したような世界である。

徳川3代将軍、家光はなかなかの人物だったようだ。朝鮮外交で、対馬藩の国書改ざんが発覚したが、それを無事に乗り切り、直後の通信使迎接で日光行を要請した。突然の依頼に朝鮮側は戸惑いながらも、「遊覧」という名目で応えた。

1643（寛永20）年の朝鮮通信使は、家光の世継ぎ（4代将軍家綱）誕生を祝って来日した。東照社での祭祀も目的に入っていた。鐘と三具足も6月16日に江戸に着き、翌17日の家康の月命日に間に合ったため、3代将軍・家光を喜ばせた。

友好の鐘は、1655年には境内に掛けられた。その間、家光を祀る大猷院も完成する。オランダ商館長から真鍮細工の31の油皿を持つスタンド型燈架も献上されている。見栄えのする贈答品だったようだ。

朝鮮鐘は、陽明門の右手に掛かっていた。背後の鐘楼に比べ、見劣りのする鐘突き堂でしかない。鐘の文様を見ながら、ぐるりと一回りした。朝鮮鐘特有の、天女が舞う優美な姿は……とみていると、小ぶりにしか描かれていない。全体が和鐘のような文様で、銘文に「朝鮮」と刻まれているのを確認して、やっと得心した。

陽明門の手前に吊るされた友好の朝鮮鐘

朝鮮鐘は、天辺の竜頭に小さい穴があることから、虫喰い鐘といわれる。通信使が進物したこの鐘は釜山で鋳造するとき、銅が不足したため対馬からわざわざ仕入れている。また、それを江戸まで運ぶため、専用の船まで手当てした。

朝鮮通信使は日光へ、3度行っている。最初は突然の要請だったため「遊覧」という位置づけ。2、3度目が日光山東照宮大猶院霊廟致祭といい、朝鮮式祭祀を執り行っている。

家康の墓所は、200段を超えるほどの石段を登った高台にある。石組で囲まれ、幾段にも積み上げた基壇も大きかった。青銅の三具足も立派で、これも朝鮮が贈ったものであろう。

2017年10月末、通信使がユネスコ世界の記憶に登録された直後のこと。2年間にわたって瀬戸内、近畿、東海と通信使の旅を続け、その締めくくりの旅として、東京・川越を経て日光に入った。ここには日光朝鮮通信使研究会があり、それを主宰する柳原一興さんに案内をお願いして、東照宮を見て回った。会う前に、コンビニで買った下野新聞（11月1日付）には、1面本記を受けた社会面に、「日光参拝　友好の歴史に光」と題して、関係者の喜びの声を紹介している。そのなかに、「朝鮮通信使が日本で公式行事を行ったのは江戸と日光しかない。日光にある他の資料も含めて、後世に伝えてほしい」という柳原さんのコメントが載っていた。

〝平成の大修理〟が終わった三仏堂。建物や遺物を見ているうちに、美術館に入ったかのような錯覚を覚えた。木彫りの模様が素晴らしい。家光が、祖父家康の威厳を天下に示すため、財力を注いだことがうかがえる。名のある絵師、彫り師（彫刻家）、仏師など総動員されたのではないか。その総意として、江戸時代の美の泉であるという印象を持つ。

家光の命を受けて、威容を整えた僧侶が、天海だった。家康を神格化し、聖地日光山による幕府の精神的支柱を確たるものにした功労者である。家光の墓所の近くに慈眼堂があるが、そこが天海の墓所である。大僧正墓所と記されている。

第九章　対馬藩が築いた、日朝友好の破綻

　対馬藩が、徳川幕府から一任された対朝鮮外交の役割は、明治時代に入ると、釜山の草梁倭館が日本の外務省によって一方的に接収されたことで幕を閉じた。釜山近海に軍艦を派遣し、威圧をかけての撤収であった。

これには伏線がある。大政一新による政体変更を、明治政府は対馬藩経由で、朝鮮王朝に伝えた。対馬藩の大島友之允（おおしまとものじょう）らがメッセンジャーになっている。これを見た大院君は激怒、新政府を洋賊とみなして、国交を断つというアクションを起こした。

　明治維新政府は、天皇を頂点として成立した。当然、外交の主権者も天皇となる。江戸時代、日朝友好の懸け橋となった朝鮮通信使は、天皇の存在を気にしながらも、その拘りを放棄した。幕府が誘導した。

　１７１９年の朝鮮通信使・製述官、申維翰は『海游録』のなかに、京都滞在中の話として、「天皇の宮が使館の西南にあるという。倭人はみなこれを憚かって、問うても答えず、また我が国人にその城闕を望むことをさせない。天子はこれ何の官であるやを知らない」と書いている。

　これが徳川将軍が消滅した明治になると、外交政策上、天皇が朝鮮国王と交礼の前面に出てくる。王政復古通告で、外交文書をめぐって起きた日朝間の衝突。長く対朝鮮外交を担ってきた対馬藩は、これを乗り切るため、

「政府等対」論を持ち出す。両国の交際を天皇と朝鮮国王ではなく、政府同士の交際に切り替える案であった。
政府と対馬藩の対立がイメージされるが、この「政府等対」論に込める対馬藩の思いは、どんなものだったのか。

『政府等対』論は対馬藩が移行期の日朝関係が直面した問題に対して出した一つの答である。

（牧野雅司氏の論文「明治維新期の対馬藩と『政府等対』論」より）

この論文を読みながら、明治新政府と朝鮮の間をとりもつ対馬藩の苦悩の一端を知った。「政府等対」論とは、対馬藩士・大島友之允の構想で生まれ、維新政府の対朝鮮外交政策の一つの方策になったという。
新政府が釜山視察のため派遣した佐田白茅（旧久留米藩）が上申した「朝鮮国交際始末内偵書」が、朝鮮征伐の風を煽る。

朝鮮国へ派遣の場合は、護衛する兵隊の帯同が必要である。維新の勢に乗じて、速やかに朝鮮を手にいれるべし。30大隊もあれば事足りる

この膺懲論が、世間にも流布して大評判を呼ぶことになる。江戸時代、日朝友好の風を吹き込んだ朝鮮通信使による朝鮮ブームは、隅の追いやられてしまう。
これが岩倉使節団の留守を預かっていた西郷隆盛らの議論で、朝鮮を武力で膺懲する板垣退助ら強硬派の征韓論を誘発してしまった。
幕末、財政が逼迫した対馬藩。それを改善・救済するため、藩の外交官、大島友之允が老中・板倉勝静の顧問、山田方谷（備中松山藩の儒学者）に、こういわれた。

貴藩困乏斯の如し、何ぞ朝鮮違約の罪を鳴らして、之を征服する策に出でざるか

この入れ智恵によって大島友之允は、征韓論を創り上げ、これを建白書として幕府に提出した。
朝鮮との窓口となった対馬藩は、朝鮮貿易を独占して利益を得て、朝鮮通信使来日の度に幕府から支援金をも

らっていた。財政切迫に陥ると、幕府から借財し、朝鮮からも金穀を借り受けていた。

この対馬藩の特殊事情を、吉岡弘毅が徹底的に調べた調書が外務省に報告される。吉岡は、釜山の草梁倭館閉鎖で帰国した同省職員であった。その調書に、こうある（古川愛哲著『西郷隆盛の冤罪　明治維新の大誤誤解』講談社＋α新書からの引用）。

朝鮮側が日本の外務卿の文書を拒否するのは、豊臣秀吉の侵略で朝鮮全土が『流血満地』となり、日本人が『横暴至極』だったことを300年後のいまも忘れていないからである。両国のあいだを取り持った対馬藩は、真の友好関係ではなく、毎年『莫大な米穀』を朝鮮から与えられながら、しばしば1年で数年分を貪った
これを対馬藩の関係者が読んだら、どう思うだろうか。両国の友好の懸け橋となるべく200年余りにわたって対朝鮮外交に心血を注いできた歴史は、何だったのか、と。

釜山の草梁倭館閉鎖後、対馬藩が独占していた朝鮮貿易は方向転換を余儀なくされる。対馬以外の日本国内の商人が、朝鮮を目指す事態となる。とりわけ、三越・三井の大手商人の跋扈に、朝鮮政府は激怒する始末となる。

その後は、薩長連合が主導する明治政府による朝鮮挑発で、朝鮮支配の道へと進む。対馬藩が営々として築いた日朝友好の歴史は崩れ去ってしまった。

▽対馬藩の大島友之允、征韓論へ

対馬藩士、大島友之允（1826〜1882）は、気になる人物である。江戸後期から明治にかけて、藩の対朝鮮外交を担い、明治新政府にあっても、日朝交渉にかかわっている。藩の利益のために動いているが、対馬藩が結んだ長州との同盟（1862年）関係で、対馬藩は長州を利する行為へとひきずられていく。

大島は、友人の長州藩の桂小五郎（木戸孝允（たかよし））と一緒に、勝海舟にも会う。このときは欧米列強に対抗するため、日本は中国、朝鮮と連合すべきだと、海舟から次のようにいわれる。

朝鮮の議論を論ず。我策は……今、我邦より船艦を出して、弘くアジア各国の主を説き、横縦連合、共に海軍を盛大し、有無を通じ、学術を研究せずんば、彼（列強）が蹂躙を遁がるべからず。先ず最初、隣国朝鮮よりこれを説き、後、支那に及ばんとす。同人、悉く同意す

当時、対馬藩は経済的に困窮したため、その挽回策を、朝鮮関係を中心に大島は模索していた。海舟が主張するアジア連帯構想で、対馬藩が得られる利益は何か。大島も考えたはずである。

廃藩置県（1871年）が布告され、旧対馬藩主・宗重正（義達から改名）の家役も罷免されることとなる。これに不満を抱いた大島は、外務省に出向き抗議。これにより、重正が外務大丞に、大島が外務省准奏任出仕に任じられ、朝鮮派遣を命じられた（しかし、大島らの朝鮮派遣なし）。外務卿の相次ぐ交代によって朝鮮問題は放置され、そしてようやく顧みられた時には、宗氏派遣に対する反対意見が出て、派遣は中止させられるに至った。重正の代理として、旧厳原藩の相良正樹が派遣される一方、大島は外務省の職を免じられた。

ところが、先述したように備中松山藩の財政的危機を救ったことで知られる儒家・陽明学者の山田方谷との出会いによって、征韓論に転ずる。

大島は勝海舟にも、征韓論を説き、実行を迫るようになる。友人である木戸孝允が新政府の高官となると、大島の建白書が政局に重大な影響を与えることになる。

木戸は松下村塾の吉田松陰の教え子である。かつて、こういうことがあった。松陰から鬱陵島略取・開墾の、次のような手紙が届いたのである。

吾藩より朝鮮、満州に臨むに若くはなし。朝鮮、満州に臨まんとならば、竹島（鬱陵島）は第一の溜りなり。遠く思ひ、近く謀るに、是今日の一奇策と覚候

これを見た木戸は、幕府老中を訪ね、実行を働きかけている。

明治新政府の中核に長州藩が座り、内省・外交で主導権を発揮したことは周知のことである。対馬藩は186

２年に結んだ対長（対馬・長州）同盟が因縁となって、従来家役だった対朝鮮外交において、親韓から征韓へと舵を切った。

果たして、これが対馬にとって、未来を拓く有効な手立てだったのか。

廃藩置県で、対馬藩は消えてなくなった。その翌１９７２年、大島友之允は対馬に帰って、家督を子の邦太郎に譲る。これにより、対朝鮮外交から退くことになる。

▽長州閥主導の膨張主義に呑み込まれる

現在、通信使問題を友好一本槍で論ずる傾向があるが、これは史実に照らしてもコインの片側だけを見ていることになる

このように、『日本の朝鮮侵略思想』（朝鮮新報社）に書いた琴秉洞（クムビョンドン）氏の言葉は、暗示に富んでいる。金大中・韓国大統領の日本大衆文化開放政策が進められている頃、出版された本である。

中井竹山。江戸中期の儒学者である。町人学者であるが、自分の考えを政治に反映させたいと、老中松平定信に接近し、信頼を得た。定信の要請に応えて書いた大著『草茅危言（そうぼうきげん）』に、蘊蓄（うんちく）を傾けた研究成果を明かした。社会、経済制度から法制まで、国家のあり様を網羅している。その中に、「朝鮮の事」がある。当時、朝鮮通信使が来日する度に、朝鮮ブームが起こっていたが、これに竹山は反撥した言説を展開している。

通信使が行列の先頭に掲げる「清道旗」にケチをつけ、「無礼の甚だしきなり」といい、通信使の客館で日朝文化人が漢詩文の唱和・贈答をすることを「笑うべし」と突き放している。

江戸時代、隣国から訪れる通信使を歓迎する声が圧倒的な中、それを快く思っていなかった勢力が存在した。

通信使の来日の度に、近年みられるような韓流ブームが巻き起こった。江戸幕府も諸藩も、予想していただろうか。朝鮮通信使の沿道から逸れている地域からも、使節一行を訪ねた人たちがいた。肥後の儒学者、大垣の医

激戦地、公州郊外に立つ東学革命軍慰霊碑

師などその数も少なくない。

この江戸約２００年間に見られた善隣友好の空気が、開国を求める欧米列強の脅威の前に、萎（しぼ）んでいく。開国か攘夷かに揺れた国政は、薩長の倒幕戦争によって新政府が樹立され、欧米列強を模した近代化の道を歩むことによって、拍車がかかる、

江戸中期から民間では、国学の台頭を反映した小中華意識が思想界に吹き込まれ、朝鮮や中国を見下す風潮が徐々に醸成されていた。

明治維新政府を実質的に牽引（けんいん）したのは、薩摩と長州の両藩であった。しかし、薩摩の両雄である西郷隆盛と大久保利通の対立、２人の不幸な死を経て、国政は長州閥の独壇場となる。

明治時代、国政で活躍した主だった人物には、吉田松陰の松下村塾で学んだ長州藩士が多い。伊藤博文もその一人。松陰はそれほど評価してはいなかった伊藤は、欧米に派遣された岩倉使節団に加わることで、頭角を現す。大日本帝国憲法を、憲政党という政党をつくり、総理大臣にもなる。それと東学農民運動（東学党の乱）をきっかけに起こった日清戦争、日露戦争を経て朝鮮支配の布石を打つ。日本の膨張主義を先導した役割を担った。その果てに、安重根（アンジュングン）の凶弾に倒れている。

長州藩の人物をよく小説に取り上げた司馬遼太郎は、「明るい明治」という史観を打ち出した。

明治の政治主導による資本主義が形を成したのは、汚職しなかったからだけです。金銭の関係のない明治の役人たちというのは、いまから考えても痛々しいほどに清潔でした。

（「役人道について」より、1996年『文藝春秋』4月号所載）

欧米に対抗できるほどの国づくりに、当時の政治家が私利私欲を排し、全身全霊で取り組んだのは分かる。それはいいとしても、近代化の矛先が問題である。膨張主義によるアジア侵略、朝鮮支配・統治に向かったことをどう解釈するのか。

朝鮮の植民地支配について、司馬は「将来にまでのこる禍根でした」と、東大阪市の自宅を訪ねて来た韓国の李御寧（イ・オリョン）氏に言っている（対話選集9『アジアの中の日本』文春文庫より）。

福沢諭吉のアジア離れ、脱亜論を「私は福沢に面憎（つらにく）さを感じてすきではありません」（「役人道について」より）とも語っている。

明治は司馬史観によれば、「明るい」。しかし、日韓両国に光明を放った通信使を通して形成された善隣友好の精神は、長州閥が主導する膨張主義で、見事なまでに消えてしまう。朝鮮蔑視観が彼らには存在したが、それを植え付けたのは誰か。キーマンは吉田松陰である。その言説は見逃せない。

あとがき――通信使が残した教訓――

朝鮮通信使は広まったのか。国境の島・対馬で出会った通信使を追っかけて、25年余り経つが、いまだに、その思いが離れない。対馬をはじめ、ゆかりのまちでは通信使再現行列を中心に祭りを開き、その名前も浸透している。しかし、沿道を離れると、通信使も馴染みが薄い。その状況を変えるのが、ユネスコ「世界の記憶」（記憶遺産）登録である。

日韓関係が険悪になると、朝鮮通信使が脚光を浴びてきた。江戸時代、両国をつないできた平和使節という概念が、強くアピールするためである。世界記憶遺産に登録（日本側48件209点、韓国側63件124点の計333点）されたのも、その精神が響き渡ったからだろう。

朝鮮通信使が往来した200年間、朝鮮王朝、徳川幕府、その間をつなぐ対馬藩に三者三様の思惑はあったが、日朝の文化、経済的な交流が途絶えることはなかった。それが、東北アジアの平和的秩序を維持するために貢献したことは、否めない事実である。

とりわけ両国の架け橋になった対馬藩の努力は大きく、島経済の浮上のために通信使来聘に尽力した。朝鮮外交を家役として勤めてきた対馬藩の意気込みは、現代にもつながり、地域起こしに、国際交流に通信使は大きく役立っている。

約20年の間、80回近く対馬に渡り、島の変わりように驚くことがある。ここ数年、対馬を訪れる韓国人観光客が15、20、25万人と増え続けている（２０１８年、40万人突破）。その安定した人気に、ホテル「東横イン」が対馬・厳原町に進出し、２０１７年3月末に開業した。

交流人口をどう増やすか。各地で、その取り組みが進む。通信使ゆかりのまちには、大きな歴史遺産「通信使」がある。あるだけでは、ダメである、それをどう活用していくかが大切である。

そこで思うことは、「先を読む」ことである。通信使の場合、世界記憶遺産登録が叶った後である。世界記憶遺産は、史料（文書、絵画）を登録する。地味である。どうしても、その史料の世界に留まる。

一足先に田川市（福岡県）にある山本作兵衛の絵画が、世界記憶遺産になっている。その登録記念として、その登録史料を披露する展覧会が地元や、福岡市内の博物館で開催された。記憶遺産は、観光に有利な世界文化遺産とは違い、地味である。史料が中心になる。しかし、それに縛られていてはいけないことを田川市は、多彩なプログラムを組んで、遺産活用を続けている。

朝鮮通信使の世界記憶遺産登録が叶った暁を見つめて、朝鮮通信使縁地連絡協議会はアーカイブによる「通信使博物館」を構想してきた。ネットワーク構築について打ち合わせも行われた。

世界記憶遺産登録を、どう地域起こし、観光振興に結びつけるか。PRだけに止まっていたら、変化の風は起こらない。▽日韓の史料を一堂に集めた記念展覧会の巡回展、▽地域史研究家や学芸員によるトークショー、▽登録史料とその地元を観光して回る、さらには、▽朝鮮通信使の日韓の道を探訪するツアーなどといった記念イベントも、当然のごとく考えられているのだろうか。さらにそれを踏まえ、長く取り組みを続けることが大切である。

要は、世界記憶遺産登録後の、流れが大切ということである。その「先を読む」議論はどうなっているのか。

歴史の教訓として、朝鮮通信使の往来によって、朝鮮の知識人の意識が変わったことが挙げられる。通信使の日本紀行や、彼らが持ち帰った文物が役立った。それを活用して朝鮮の知識人は日本認識を深めていった。

18世紀後半から19世紀前半にかけて、一部の実学者の間で従来の政治・軍事中心の日本への関心が減少し、代わりに文化への関心が大きくなりかけていた。これには17世紀後半ば以来の平穏な東アジア情勢と、華夷観から脱皮して発展していった日本文化に対する関心の増大が関係していた。

日朝友好、平和主義へつなげる役割を果たした通信使。学ぶべき教訓、通信使から得られる教訓とは何か。次の二つがキーワードになるのではないか。

▼「つなぐ」の精神で、偏見・誤解を解く

▼誠信の交わり

前者は、民衆同士の交流、いうならば民際交流である。政治に左右されない交流を通して、成熟した市民意識をつくりだす上で欠かせない。後者は、国際交流の基本姿勢であり、とりわけ国政を担う政治家に、学んでほしい精神である。

日本は大戦中、アジア諸国に被害を与えた侵略戦争を通して、今日もその姿勢を問われている。その姿勢とは、真摯に歴史に向き合うことである。しかし、度重なる歴史歪曲、自虐史観克服の声が戦争被害を被った国々から非難され、反発を招いてきた。

ドイツ敗戦40年にあたる1985年、ヴァイツゼッカー大統領は5月連邦議会で「過去に目を閉ざす者は現在にも盲目となる」と演説している。まさに正鵠を射た、万人が認める正論である。これを実践する上で、雨森芳洲が説いた「互いに欺かず争わず真実を以て交わる」誠信の精神が重要になると確信している。

再度、確認しておきたい。通信使から得られる教訓として、文物の、人の往来による「対話」と「交流」がいかに大切であるということ。頻繁な接触は、人のもつ固定観念や偏見を変え、誤解を正し、真の日韓友好に寄与できる。

国境を超え、お互いを支え合う良好な関係があってこそ、日韓の結びつきは深まっていく。世界記憶遺産登録を契機に、両国の政治状況に左右されない市民交流を進める上からも、通信使の精神に学んでいく機運を醸成していきたい。スローガンは「21世紀の朝鮮通信使をめざせ」である。

最後に、出版に際してお世話になったジャーナリストの川瀬俊治さんにお礼を申し上げたい。奈良新聞時代以来の長い付き合いで、版元を紹介していただいた。その申し入れを受け、快く出版を承諾していただいた東方出版の今東成人会長には深く感謝している。私の韓国学の出発点でもある関西、さらに朝鮮通信使の歴史を掘り起こされた辛基秀先生の地元・大阪で出版できることに喜びを感じている。

ユネスコ「世界の記憶」（記憶遺産）に登録された朝鮮通信使が、日韓をつなぐ友好の懸け橋として益々輝くことを願って筆を置きたい。

2021年8月　長雨の夏、郷里の大分・佐賀関で

嶋村初吉

主な参考文献

源　了圓『徳川思想史』　中公新書　1973年
野間宏、沖浦和光『日本の聖と賤　近世編』　人文書院　1986年
成　律子『朝鮮史の女たち』　筑摩書房　1986年
司馬遼太郎『この国のかたち　三』　文藝春秋　1992年
北島　万次『豊臣秀吉の朝鮮侵略』　吉川弘文館　1995年
琴　秉洞『日本の朝鮮侵略思想』　朝鮮新報社　1999年
上垣外憲一『日本文化交流小史』　中公新書　2000年
田代　和生『倭館——鎖国時代の日本人町』　文春新書　2002年
榎本弥左衛門『榎本弥左衛門覚書』大野瑞男校注　東洋文庫695　平凡社　2001年
古川　愛哲『西郷隆盛の冤罪　明治維新の大誤解』　講談社＋α新書　2017年

《朝鮮通信使関係》
申　維翰『海游録』姜在彦訳注　東洋文庫252　平凡社　1974年
李　元植『朝鮮通信使の研究』　思文閣出版　1997年
金　仁謙『日東壮遊歌』高島淑郎訳注　東洋文庫662　平凡社　1999年
上田正昭、辛基秀、仲尾宏『朝鮮通信使とその時代』　明石書店　2001年
辛　基秀『新版　朝鮮通信使往来』　明石書店　2002年

仲尾　宏『朝鮮通信使　――江戸日本の誠信外交』　岩波新書　2007年

《韓国史関係》

姜　在彦『ソウル　――世界の都市の物語』　文藝春秋　1992年

李圭泰著、尹淑姫・岡田聡訳『韓国人の情緒構造』　新潮選書　1995年

金徳珍著、藤井正昭訳『年表で見る韓国の歴史』　明石書店　2005年

朴　天秀『加耶と倭　――韓半島と日本列島の考古学』　講談社　2007年

キム・ヨンヒ著、クォン・ヨンス訳『善徳女王の真実』　キネマ旬報社　2012年

水野俊平『朝鮮王朝を生きた人々』　河出書房新社　2012年

成　俔『慵斎叢話』梅山秀幸訳　作品社　2013年

《論文》

石川泰成「亀井南冥と朝鮮通信使との応酬唱和をめぐって」
九州産業大学国際文化学部紀要　第20号に所載　2001年

金　聖雨「朝鮮通信使の『漢陽―釜山』間派遣経路及び経路都市」
韓国建築歴史学会　2004年4月30日　朝鮮通信使に関する日韓学術シンポジウムより

牧野雅司「明治維新期の対馬藩と『政府等対』論」
『日本歴史』（平成24年3月号）第766号に所載　吉川弘文館　2012年

嶋村初吉（しまむら・はつよし）

1953年、大分県・佐賀関町（現、大分市）生まれ。慶應義塾大学文学部を卒業後、奈良新聞社、産経新聞社を経て、西日本新聞社に入社。文化部記者、編集委員を歴任。定年退職後、韓国・釜山にある国立釜慶大学大学院で室町時代の朝鮮通信使、「李芸の琉球渡海」について研究。現在、福岡民団の李相鎬（イサンホ）団長と結成した「朝鮮通信使と共に福岡の会」の共同代表を務める。日韓文化交流史がライフワーク。
著書に『日韓あわせ鏡の世界』（梓書院）、『玄界灘を越えた朝鮮外交官 李芸』『九州のなかの朝鮮文化』（以上、明石書店）など。

朝鮮通信使の道
——日韓つなぐ誠信の足跡（そくせき）

2021年11月12日　初版第1刷発行

著　者……嶋村初吉
発行者……稲川博久
発行所……東方出版㈱
〒543-0062　大阪市天王寺区逢阪２－３－２
Tel. 06-6779-9571　Fax. 06-6779-9573
装　丁……濱崎実幸
組　版……はあどわあく
印刷所……シナノ印刷㈱

ISBN978-4-86249-421-4